étincelles

CE2

LIVRE DE LECTURES

Denis Chauvet, maitre formateur et
Olivier Tertre, directeur d'école d'application
ont sélectionné les textes de ce recueil.

www.**orthographe-recommandee**.info

Cette publication est conforme à la nouvelle orthographe

Cet ouvrage tient compte de l'orthographe
recommandée par le ministère
de l'Éducation nationale.

Hatier

S O M M A I R E

© Hatier Paris 2014, ISBN 978-2-218-97284-3

Kidi Bebey est l'auteur des documentaires.
*Auteur ou ouvrage sur la liste de référence du ministère de l'Éducation nationale.

Pourquoi la mer est-elle salée ?

IL Y A FORT LONGTEMPS vivaient en Chine deux frères. Wang-l'aîné était le plus fort et brimait sans cesse son cadet. À la mort de leur père, les choses ne s'arrangèrent pas et la vie devint intenable pour Wang-cadet. Wang-l'aîné accapara tout l'héritage du père : la belle maison, le buffle et tout le bien. Wang-cadet n'eut rien du tout et la misère s'installa bientôt dans sa maison.

Un jour, il ne lui resta même plus un seul grain de riz. Il ne pouvait pas manger, alors, il se résolut à aller chez son frère aîné. Arrivé sur place, il le salua et dit :
— Frère aîné, prête-moi un peu de riz.
Mais le frère, qui était très avare, refusa tout net de l'aider et le cadet repartit.

Ne sachant que faire, Wang-cadet s'en alla pêcher au bord de la mer Jaune. La chance n'était vraiment pas de son côté car il ne parvint pas à attraper le plus petit poisson. Il rentrait chez lui les mains vides, la tête basse, le cœur lourd quand, soudain, il aperçut une meule au milieu de la route.

« Ça pourra toujours servir ! » pensa-t-il en ramassant la meule. Et il la rapporta à la maison.

Dès qu'elle l'aperçut, sa femme lui demanda :

— As-tu fait bonne pêche ? Rapportes-tu beaucoup de poissons ?

— Non, femme ! Il n'y a pas de poissons. Je t'ai apporté une meule.

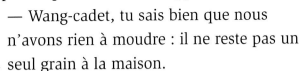

— Wang-cadet, tu sais bien que nous n'avons rien à moudre : il ne reste pas un seul grain à la maison.

Wang-cadet posa la meule par terre et, de dépit, lui donna un coup de pied.

La meule se mit à tourner, à tourner et à moudre. Il en sortait du sel, des quantités de sel. Elle tournait de plus en plus vite et il en sortait de plus en plus de sel.

Wang-cadet et sa femme étaient tout contents de cette aubaine. Tandis que la meule tournait, tournait, le tas de sel grandissait, grandissait. Mais Wang-cadet commença à avoir peur et se demanda comment il pourrait bien arrêter la meule. Il pensait, réfléchissait, calculait, il ne trouvait aucun moyen. Soudain, il eut l'idée de la retourner, et… elle s'arrêta.

À partir de ce jour, chaque fois qu'il manquait quelque chose dans la maison, Wang-cadet poussait la meule du pied et obtenait du sel qu'il échangeait avec ses voisins contre ce qui lui était nécessaire. Ils vécurent ainsi à l'abri du besoin, lui et sa femme.

Mais le frère ainé apprit bien vite comment son cadet avait trouvé le bonheur et il fut assailli par l'envie. Il vint voir son frère et dit :
— Frère-cadet, prête-moi donc ta meule.
Le frère cadet aurait préféré garder sa trouvaille pour lui, mais il avait un profond respect pour son frère ainé et il n'osa pas refuser.

6

Wang-l'aîné était tellement pressé d'emporter la meule que Wang-cadet n'eut pas le temps de lui expliquer comment il fallait faire pour l'arrêter. Lorsqu'il voulut lui parler, Wang-l'aîné était déjà loin, emportant l'objet de sa convoitise.

Très heureux, le frère aîné rapporta la meule chez lui et la poussa du pied. La meule se mit à tourner et à moudre du sel. Elle moulut sans relâche, de plus en plus vite. Le tas de sel grandissait, grandissait. Il atteignit bien vite le toit de la maison. Les murs craquèrent. La maison allait s'écrouler.

Wang-l'aîné prit peur. Il ne savait pas comment arrêter la meule. Il eut alors l'idée de la faire rouler hors de la maison, qui était sur une colline. La meule dévala la pente, roula jusque dans la mer et disparut dans les flots.

Depuis ce temps-là, la meule continue à tourner au fond de la mer et à moudre du sel. Personne n'est allé la retourner. Et c'est pour cette raison que l'eau de la mer est salée.

Pourquoi la mer est-elle salée ?,
dans *Contes d'Asie*, © Rue des Écoles.

Scène de la vie familiale en Russie au XIXe siècle.
Devant une maison de bois, autour d'un samovar,
les enfants mangent des fruits et les adultes boivent le thé.

Les Histoires de Rosalie, Michel Vinaver, © Flammarion 2012.

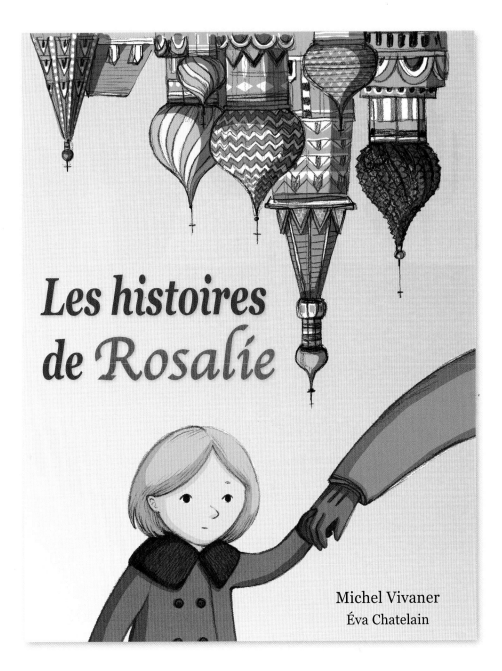

Les histoires
de Rosalie

Michel Vivaner

Éva Chatelain

Ma grand-mère n'était pas seulement douce, elle était comme un soleil: bien du monde venait se chauffer à ses rayons. Quand elle souriait, c'est le monde entier qui semblait devenir gai et léger. Quelquefois ma grand-mère me racontait les histoires d'une petite fille qui s'appelait Rosalie. Rosalie, c'était elle-même. Oh! ma grand-mère n'avait pas été une petite fille sage! Macha, sa sœur, était sage. Mais elle, aïe aïe aïe!... Rosalie – on l'appelait parfois Rosatchka car c'est en Russie que ma grand-mère est née – Rosalie me racontait les bêtises qu'elle avait faites, les tours qu'elle avait joués et, bien vite, elle se mettait à rire si fort que, moi aussi, le rire me prenait, et je n'arrivais pas toujours à écouter la fin de l'histoire. Oh! non, Rosatchka n'était pas une enfant sage! Que d'inquiétudes et que d'embarras n'a-t-elle pas causés à ses parents! Souvent même, elle les a poussés au désespoir. Ce n'était jamais par méchanceté. Vous verrez: Rosatchka avait un grand cœur. Mais elle était impétueuse: elle voulait tout gouter, tout faire, tout essayer, aller partout, tout de suite... et après on verra... Bien sûr, il lui est arrivé toutes sortes d'aventures.

La poupée dans le train

ROSALIE tient parfois de longues conversations avec sa poupée. Elle lui raconte ce qui se passe à l'école, les bonnes et les mauvaises choses. Même les choses qu'elle ne raconte pas à sa maman, elle les raconte à sa poupée. Par exemple ses méchancetés, ses chagrins. Alors sa poupée la gronde ou la console.

— Ma poupée, elle est vivante? demande un jour Rosalie à sa maman.

— Si elle te parle, si elle te donne des conseils, c'est qu'elle est vivante, répond la maman.

— Tu sais, Macha, elle est vivante, dit Rosalie à sa sœur, un soir, au moment de s'endormir.

— Ce que tu es bête! Maman a dit ça pour se moquer de toi.

— C'est toi la plus bête, répond Rosalie.

Mais elles avaient trop sommeil pour se disputer.

Rosalie est heureuse. Car le grand jour approche. Le jour où, pour la première fois de sa vie, elle va monter dans un train. Elle va rendre visite à Milia, sa cousine, qui habite dans une petite ville à deux-cents kilomètres de là.

Beaucoup de choses n'étaient pas encore inventées : les autos n'existaient pas encore, ni le téléphone ni l'électricité. On commençait seulement à voir les premiers trains avec leur haute cheminée et leur flot de fumée noire traverser la campagne en faisant un bruit d'enfer.

Quand le monstre entra en gare, Rosalie pressait sa poupée de toutes ses forces contre son cœur. Et la vieille chère nounou, qui était si chauve et si vieille que personne ne savait plus quel âge elle avait, faisait mille signes de croix sur sa poitrine et marmonnait :

*Bòje moï, Bòje moï.**

Voici Rosalie et sa nounou bien installées dans leur compartiment. La maman, avant de descendre sur le quai, fait ses dernières recommandations.

— Cette poignée rouge, qu'est-ce que c'est ? demande Rosalie.
— Tu n'as qu'à lire : «Signal d'alarme. Interdit de toucher sauf péril mortel.» Ça veut dire qu'on ne doit tirer la poignée que si la vie de quelqu'un est en danger.

* Mon dieu, en Russe.

Voilà nos voyageurs partis. Oh! Rosalie ne s'ennuie pas! Elle regarde les gens assis sur les banquettes. Elle compte combien il y a de paniers, de valises, d'animaux en tout dans le compartiment. Voici que le train s'engage dans une vallée profonde, il longe un fleuve majestueux. Rosalie ouvre une fenêtre et se penche au-dehors; elle explique à sa poupée qu'il ne faut rien laisser perdre du paysage.

— Ouvre bien tes yeux, dit-elle, regarde comme c'est beau.

Et le train traverse lentement, à grand fracas, en jetant un torrent de fumée noire, un pont au-dessus du fleuve. C'est si beau que Rosalie applaudit des deux mains.

Catastrophe! Elle a lâché sa poupée qui est tombée dans le vide.

Pas le temps de réfléchir! Rosalie se précipite et tire le signal d'alarme.

Le train s'arrête si brusquement que, dans le compartiment, tous les gens sont tombés les uns sur les autres, et les bagages sur la tête des gens, et les bébés et les poulets et les canards, et tout le monde crie et se demande si c'est un déraillement ou même la fin du monde.

Bòje moï, Bòje moï!

Mais voici le conducteur du train, l'œil sévère. Il court d'un compartiment à l'autre pour découvrir qui a tiré le signal d'alarme et pourquoi.

— C'est moi, dit Rosalie, j'ai laissé tomber ma poupée.

— Regarde ce que tu as fait! Tout ça pour une poupée! dit le conducteur. Tu n'as pas honte?

— Mais elle est vivante, explique Rosalie.

— Vivante? demande le conducteur, étonné.

— C'est la vérité, elle sait regarder le paysage, elle comprend quand je lui parle, elle me dit des choses. Il faut la sauver, monsieur le conducteur.

Rosalie avait une grosse larme au coin de chaque œil. Le conducteur a sauté du train, est allé ramasser la poupée, la lui a tendue et, tandis que Rosalie la serrait dans ses bras en souriant, le conducteur lui disait :

— La prochaine fois que tu tireras le signal d'alarme pour ta poupée, je te frotterai les oreilles si fort qu'on pourra en faire des croquettes.

Le mendiant

TOUS LES DIMANCHES à Moscou, vers l'heure du gouter, la famille Hischine allait rendre visite à Babouchka, la grand-mère de Rosalie et de Macha. C'était une promenade qu'on faisait toujours à pied, qu'il fasse beau, qu'il pleuve ou qu'il neige, et toujours, on passait devant le même vieux mendiant sale et sans dents, aux grands yeux bleus, assis sur le trottoir à l'angle de deux rues, le chapeau à la main.

— À votre bon cœur, messieurs dames, marmonnait-il.

Mais on ne lui donnait jamais rien ; le papa de Rosalie ne le permettait pas.

— On doit faire le bien autour de soi, expliquait-il. De l'argent, j'en donne aux hôpitaux où on soigne les gens qui sont vraiment pauvres. Mais la ville est pleine de gens qui font semblant de n'avoir rien à manger et qui sont plus riches que nous. Allons ! venez, les enfants...

Rosalie était sure que ce mendiant-là, qui avait des yeux si doux, ne faisait pas semblant, lui : il avait vraiment faim, ça se voyait. Chaque dimanche, en passant par là, elle détournait les yeux pour ne pas croiser le regard du mendiant, et son cœur cognait si fort dans sa poitrine qu'elle se disait qu'un jour, surement, il allait éclater.

Ce dimanche-ci, en revenant de chez Babouchka, elle annonce qu'elle va voir sa petite amie Lili pour lui demander de lui prêter un livre. En réalité, elle descend au garde-manger, prend le reste du gigot et un hareng, enveloppe tout cela dans un torchon ; mais pour manger, se dit-elle, il faut des couverts.

Elle décide d'en prendre dont on ne se sert jamais, ou presque. Ils sont enveloppés dans des housses grises et rangés sur la plus haute planche du buffet. Un couteau, une fourchette, mais aussi une assiette, et voilà : elle sort en cachette de l'appartement, dévale l'escalier et court jusqu'au square où est assis le vieux. Elle dépose tout cela devant lui, le regarde un instant, lui sourit, puis s'enfuit sans dire un mot.

La semaine suivante, M. Hischine doit recevoir à diner des personnages importants du ministère. On sera douze à table. Mme Hischine prépare un repas magnifique. À cette occasion, on va sortir les plus beaux couverts.

— Rosatchka, veux-tu aider ta maman? Ouvre le buffet, monte sur une chaise, tout en haut tu trouveras notre belle argenterie; apporte-moi aussi les jolies assiettes bleu et or avec un soleil au milieu.

Mme Hischine met le couvert, en frottant soigneusement chaque pièce avec un chiffon pour la faire briller.

— Tiens! Il n'y a que onze assiettes! Et onze fourchettes! Comment est-ce possible? Et onze couteaux seulement!

On interroge la cuisinière. Elle ne sait pas. La femme de ménage ? Elle ignore tout. La nounou ? Elle n'a aucune idée. Mme Hischine est dans tous ses états. Il y a un voleur dans la maison. Où se cache-t-il ?

— Macha ! Tu n'as vu personne ?

Machenka éclate en sanglots, parce qu'elle n'aime pas rapporter. Les parents savent que, quand Macha se met dans un coin pour pleurer, cela veut dire que Rosalie a fait quelque chose de mal.

— Rosalie, qu'as-tu fait de ces couverts ? demande M. Hischine, en la regardant droit dans les yeux.

Et Rosalie, qui a peur d'être punie, est quand même bien soulagée de tout avouer, parce que son silence lui pèse lourd sur la conscience.

Le papa met son pardessus et son chapeau, prend sa canne, s'en va droit trouver le vieux mendiant. Il lui demande poliment de lui rendre, s'il vous plait, l'assiette et les couverts qu'avait apportés une petite fille.

Le mendiant ne se donne pas la peine de répondre. Il secoue la tête de bas en haut comme un cheval. M. Hischine sort de son portefeuille un billet de cinq roubles – c'était beaucoup d'argent, surtout pour un mendiant. Mais le vieux continue à secouer la tête comme si ça ne l'intéressait pas.

— Je te donne dix roubles...

Silence.

— Vingt roubles... Cinquante roubles, dit M. Hischine après dix minutes d'efforts sans résultat.

Cinquante roubles, c'était une vraie fortune. À la fin, le vieux dit :

— Tu perds ton temps, monsieur, je te connais bien, je te vois passer tous les dimanches avec ton ventre plein. Mais ton assiette, ta fourchette et ton couteau, je les garde, en souvenir d'une action de gentillesse, en souvenir du sourire d'une petite fille, je les garde, oui ! Mais si tu as trop d'argent dans ta poche, tu peux m'en donner, ne te gêne pas.

Et le mendiant de tendre son chapeau en ouvrant toute grande sa bouche sans dents pour laisser échapper un énorme rire.

Bredouille et furieux, M. Hischine rentre à la maison juste au moment où arrivent les premiers invités. On se met à table. Il y a onze assiettes bleu et or, et une assiette rose.

Le papa, confus, raconte sa mésaventure. Les invités le consolent : ils aimeraient avoir un enfant avec un cœur aussi grand que celui de Rosalie.

Madame
Goulominoff

Henriette
Bichon

Jason
Bombix

Pas facile d'influencer la maitresse
pour obtenir une récréation interminable.
Anatole a pourtant la bonne combine.
Mais ne le dites à personne...

C'est ultra top secret !

Ulysse
Saint-Georges

Naomie
Crumble

Anatole
Latuile

Olympe
Fayoli

Anatole Latuile, *Ultra top secret*, Anne Didier et Olivier Muller,
illustrations Clément Devaux, BD Kids, © Bayard jeunesse, 2011.

La récréation

"Grâce à ce livre il n'y a plus de limites à vos désirs."

"Vous pourrez convaincre et manipuler votre adversaire..."

...Madame Goulominoff...

"...Quelles que soient les circonstances..."

...En pleine dictée, par exemple !

"Vos rêves les plus fous sont maintenant à votre portée. Effet immédiat garanti."

Ben dis donc !

Le truc, c'est d'influencer l'autre en captant son regard et en répétant mentalement un mot simple.

C'est tout ?

Oui, mais ça marche ! Je l'ai testé sur ma chienne et j'ai eu 100% de réussite !

C'est parfait ! Nous allons pouvoir commencer immédiatement par une Ré...

... citation que vous allez copier sur vos cahiers du jour.

Zut, ça a failli marcher... À deux syllabes près, on y était !

Je vous préviens, elle est un peu longue...

Surtout, restez concentrés !

Plus tard...

Tout le monde a fini de recopier ?

Comme vous me semblez particulièrement attentifs, nous allons enchaîner avec une Ré...

Kof kof... excusez-moi...

...Une Rédaction.

Ooooooh!...

Vous n'êtes pas d'accord ? Attendez de voir le sujet...

Réda...

Récitation

Rédaction

Elle ne capte que le début du mot. Essayez de mieux articuler dans vos têtes !

Récitation

Rédaction

Racontez votre plus beau jour de vacances.

Alors ?

Récitation

édaction

Et surtout, pensez à l'orthographe !

Récitation

Ensuite, nous ferons une Ré...

Le canal Saint-Martin est situé à Paris dans les Xe et XIe arrondissements.
Il relie le bassin de la Villette au port de l'Arsenal qui communique avec la Seine.

■ *Je suis amoureux d'un tigre*, Paul Thiès, © Syros 1999/2008.

PAUL THIÈS
RAYMOND SÉBASTIEN

Je suis amoureux D'UN TIGRE !

CHAPITRE 1

Je m'appelle Benjamin et, cet après-midi, je suis tombé amoureux d'un tigre. J'avais pas prévu !

Sale journée à l'école ; je récolte une mauvaise note, et je flanque mon stylo à la tête d'un prof.

Le directeur me convoque dans son bureau. C'est grand, grand, comme une prison sans portes, un océan sans navires.

Il me regarde l'air mécontent.

— Encore toi, Benjamin ? Tu sais ce qui finira par arriver ?

Je sais bien... Je baisse le nez, et je compte mes pieds. Le temps que le directeur termine son discours, je deviens un vrai millepatte.

Plus tard, je sors de l'école en courant, en pleurant.

Il pleut.

Je rabats le capuchon de mon anorak, et je fonce jusqu'au canal Saint-Martin. Là, je monte sur le pont de la Grange-aux-Belles.

J'habite de l'autre côté, au coin du quai de Jemmapes et de la rue de la Grange-aux-Belles, au-dessus du café *La Péniche jaune*.

La porte est jaune, la façade bleue. Dans le fond, un escalier étroit, en colimaçon, grimpe jusqu'à l'appartement. Ma chambre donne sur la Seine, et je regarde souvent l'eau couler. Pas loin, il y a *l'Hôtel du Nord*, avec ses murs blancs qui virent au gris. Des touristes viennent parfois le regarder, à cause d'un film célèbre.

Je m'arrête au milieu du pont, sur les planches de bois noires, mouillées, glissantes. En bas, l'eau coule, très verte, lente, à cause des écluses. Plus loin, du côté de la place de la République, le canal disparait brusquement, il glisse sous terre comme un caramel au fond d'une poche.

Je me perche sur la pointe des pieds, le menton posé sur la rambarde. Je contemple l'eau, des feuilles mortes, parfois une branche, une planche qui tourbillonne.

— Tu regardes quoi ?

Je me retourne, surpris. J'aperçois une fillette de mon âge. Elle porte un anorak noir, un jean bleu sombre, presque noir. On croirait un garçon, sauf que ses longs cheveux sombres, mouillés, alourdis par la pluie, tombent sur ses épaules.

Elle hoche la tête en riant :

— Tu sais, j'ai horreur de mettre un capuchon, même s'il pleut !

Elle a un drôle d'accent.

Je passe ma main sur mes cheveux trempés.

— Moi aussi !

On rit ensemble. Je la trouve jolie, jolie, comme la fée de la pluie.

J'hésite, et je lui demande :

— Tu es… chinoise ?

Elle secoue sa tignasse d'ébène, hausse les épaules.

— Non ! Japonaise. Je m'appelle Sonoko Watanabe. Mes parents habitent Paris, maintenant.

Elle pousse un soupir :

— Mais, à l'école, ils m'appellent tous la Chinoise… Ça m'énerve! Je n'ai pas d'amis.

Je lui confie :

— Moi c'est pareil ! Je n'ai pas d'amis et on m'appelle le Chinois alors que je suis vietnamien. Mon nom, c'est Benjamin.

Je montre le quai de Jemmapes :

— J'habite là, chez les gens qui tiennent le café.

Il pleut toujours ; le pont, les deux quais, les rues semblent vides, froides. On est seuls. Elle me ressemble un peu et j'aime lui parler, même si je la connais à peine.

Le soir tombe. La nuit traine sur Paris, comme un grand chat noir. Sonoko s'approche de moi, me prend la main :

— Dis... Tu sais garder un secret ?

— Bien sûr !

Elle regarde autour de nous, se penche vers moi, et chuchote mystérieusement :

— Voilà : je suis... je suis un tigre...

J'ouvre des yeux ronds. Elle éclate de rire ; ses prunelles sombres scintillent vraiment comme celles d'un tigre. Enfin, je suppose. Le seul tigre que je connaisse, c'est Catimini, le matou du café.

Je bredouille :

— Un... un ti-i-igre ?

Elle me lorgne d'un drôle d'air :

— C'est ça ! Chaque nuit, je me promène sur les toits. Je cherche un petit garçon chinois pour le croquer !

Elle dit ça sur un ton ! En plus, la pluie coule dans mon cou, comme la vinaigrette sur un artichaut. Je frissonne, et marmonne prudemment :

— Bon... ben... Souviens-toi que je suis pas vraiment chinois !

— Heureusement...

Elle lâche ma main, recule, s'enfonce dans l'obscurité. Cheveux noirs, anorak noir, elle glisse dans la nuit... Je crie :

— Hé ! Hé, la tigre ! On se reverra ? Tu habites où ?

J'entends son rire, à travers la pluie. Elle disparait.

CHAPITRE 2

En rentrant au café, je me secoue comme un chien mouillé. Naturellement, Catimini, qui rôde sous les tables, reçoit quelques gouttes. Il pousse un miaulement indigné. S'il était tigre, j'aurais des ennuis !

Virginie est embusquée derrière la caisse. Ses lunettes brillent pendant qu'elle surveille Catimini, ses bagues brillent pendant qu'elle pianote les additions. Elle clame :

— Benjamin-in-in ! Tes pieds !

Ah oui, les pieds. Je soupire, saute sur le paillasson. Et je frotte, frotte, consciencieusement.

Au comptoir, Roméo essuie les verres. Il rigole, comme toujours. Il a des cheveux gris, et un cigare sur l'oreille.

Mes vrais parents sont morts en Asie, quand j'étais bébé. Après des années de foyer, Roméo et Virginie, qui n'ont pas d'enfant, m'ont pris avec eux. Je les aide au café. Ils attendent les papiers qui les autoriseront à me garder.

Parfois on s'entend bien, parfois non. Mais je suis obligé d'être parfait : poli avec eux, gentil à l'école, mignon avec les copains même s'ils m'appellent le Chinois, et tout et tout. Sinon les gens du foyer diront que je suis malheureux, et ils me reprendront. Ça me rend nerveux et j'ai des ennuis, des bagarres, des mauvaises notes...

Roméo me fait signe :

— Cesse de gaspiller tes pieds, bonhomme ! Viens m'aider.

Et comment ! M'occuper du café, des clients, j'adore ça !

Parfois, on part à la campagne, en province : Roméo et Virginie possèdent une maison grise, au bord de la Loire. Mais moi, je préfère *La Péniche jaune*, le comptoir brillant, les bouteilles renversées, la machine à café, les gens du quartier, qui entrent et sortent en pestant contre la pluie, ou le soleil, ou les impôts.

Je me faufile derrière le comptoir. Chaque soir, Virginie l'astique comme un miroir. Le matin, avant de partir pour l'école, je me regarde dedans, je fais des grimaces, les plus horribles possible !

De là, si je me perche sur la pointe des pieds, et s'il fait beau, et si les rideaux sont tirés, j'aperçois le canal, parfois une péniche.

Mais ce soir, pas question ; il pleut de plus belle, et les clients ne me laissent pas une minute. Ils me connaissent tous, maintenant :

— Benjamin ! Un café noir.

— Benjamin, un p'tit blanc !

— Benjamin, une bière rousse !

Je tire la langue, galope entre les tables, jongle avec les petites cuillères, le couteau à pain, les chiffons, les verres à cognac, les œufs durs et le paquet de beurre. Je marche sur la queue de Catimini et lui renverse un verre d'eau sur la tête, le pauvre. Il doit regretter de ne pas être tigre !

Au bout d'un moment, les clients repartent ; c'est l'heure du diner. On s'installe tous les trois dans la petite cuisine. Il y a de la daube, et de la tarte aux framboises !

Je raconte à Romeo et Virginie ma rencontre avec Sonoko.

Ils se consultent du regard. Roméo déclare, définitif :

— Je ne la connais pas. Ils sont nouveaux dans le quartier, tes Japonais.

Virginie suggère, romantique :

— Tu devrais la revoir, Benjamin...

Roméo conclut, railleur

— Et te déguiser en lion !

CHAPITRE 3

On se retrouve une semaine plus tard, dans le petit jardin du quai de Valmy. Je suis penché au-dessus de la pompe quand je la vois arriver.

Aujourd'hui, il fait doux. Elle porte un T-shirt noir, et ses cheveux flottent au vent.

Elle sourit en m'apercevant :

— C'est toi, Benjamin ? Quelle chance !

Je répète d'un ton convaincu :

— Oui, quelle chance !

En réalité, je rôde autour du pont depuis des jours. Je fonce vers le canal Saint-Martin dès que j'ai fini l'école, et je cherche des tigres jusque sous les pavés.

Je finis de boire et demande :

— Tu as du temps ? On se promène ?

Elle accepte. On file en rigolant.

Rue du Faubourg-du-Temple, on partage nos sous : elle achète une gaufre, et moi un épi de maïs. La bouche pleine, on se retrouve place de la République. Je lui demande :

— Dis... Raconte-moi une histoire de tigre...

Elle me regarde. Ses yeux noirs sont profonds, mystérieux...

— Tu ne le répéteras à personne ?

Je flanque le trognon de l'épi dans une poubelle et je jure :

— Jamais ! Jamais !

Elle chuchote :

— Alors, voilà... L'autre nuit, j'étais un tigre. Pour m'amuser, j'ai escaladé le toit de la gare de l'Est. Je regardais les trains filer vers la Pologne, la Russie... J'ai commencé à gronder si fort que des contrôleurs, et des policiers en bleu, et des pompiers en rouge sont arrivés avec des mitraillettes et des tuyaux d'arrosage ! Alors, d'un bond immense, j'ai sauté sur le toit de la gare du Nord ! Et ensuite jusqu'à Saint-Lazare, et Montparnasse, et Austerlitz, et la gare de Lyon !! Et, partout, les conducteurs de locomotives avaient si peur que les trains déraillaient, et que les voyageurs devaient continuer à pied, avec leurs bagages sur le dos !

J'éclate de rire. Ensuite, je prends sa main et affirme gravement :
— C'est la plus jolie histoire que j'aie jamais entendue !

Pendant qu'elle raconte, on remonte le canal, du côté du quai de Valmy. Tout d'un coup, Sonoko s'arrête :

— Voilà le magasin de mes parents.

Une boutique d'antiquaire. Je lis l'enseigne : *La Lanterne d'Asakusa*.

Sonoko me pousse :

— Regarde !

On colle nos nez à la vitrine. C'est plein de choses étranges, lointaines : des statuettes de bois, des coffrets de laque rouges et noirs, des sabres de samouraï, des boites à thé, un coq de cuivre jaune, des estampes où sont dessinés des hérons, des volcans, des femmes aux coiffures lourdes et compliquées, qui portent des kimonos à fleurs.

Sonoko me pousse encore :

— Viens, on entre.

Dedans, c'est sombre, encombré, mystérieux. Sonoko m'explique à voix basse :

— Mes parents adorent l'Europe, alors ils ont acheté ce magasin à Paris. Moi, j'avais déjà appris le français au Japon.

La boutique est petite. Sonoko et moi nous faufilons entre des paravents ornés de grues, de pagodes et de montagnes, de hauts vases de porcelaine, des tables laquées, brillantes, où sont disposés des canards de bois peint, des lanternes jaunes et rouges ornées de caractères incompréhensibles, des jeux bizarres qui ne ressemblent à rien. Des ombrelles de papier huilé, des baudruches en forme de carpes, des clochettes de métal vert pendent du plafond. Dans des vitrines, de minuscules figurines d'ivoire représentent des éléphants, des singes, des chiens...

Je chuchote :

— Pas de tigre ?

Sonoko rit doucement :

— Ça s'appelle des « netsukés ». Tu veux des tigres ? Viens...

Au fond du magasin, je découvre un mur où sont accrochées vingt ou trente estampes. Sonoko annonce fièrement :

— Voilà !

Chaque estampe représente un tigre noir, dessiné à l'encre de Chine. Mais quels animaux bizarres ! Tordus, tourmentés, contrefaits, ils ressemblent à des lions, des dragons, des démons ou des serpents de mer. Je les trouve fascinants, et un peu effrayants.

Sonoko m'explique :

— C'est Hokusaï, le plus grand peintre japonais, qui les a dessinés. Au musée de Tokyo, il y en a 219 en tout ! Et c'est en les regardant que je deviens tigre, et que j'imagine mes histoires...

Les parents de Sonoko sortent d'un bureau, derrière le magasin. Elle me présente :

— Benjamin, mon premier ami à Paris. Et il n'est pas chinois !

Monsieur Watanabe n'a presque pas d'accent :

— Tu es le fameux Benjamin ? Sonoko parle beaucoup de toi.

Madame Watanabe est habillée de noir, comme sa fille. Elle porte au cou un collier de perles noires. Elle prononce une phrase en japonais. Sonoko bat des mains et s'exclame :

— Oui ! Oui !

Elle sort d'un tiroir une étrange statuette : une sorte de démon accroupi, rouge et brun, avec un visage large et grimaçant... Mais il n'a pas d'yeux...

Sonoko me le tend :

— Puisque tu es mon premier ami, je te le donne. C'est un darouma !

Son père m'explique :

— Un darouma est un démon protecteur. Tu dois peindre son premier œil, faire un vœu, et le garder chez toi. Plus tard, si le vœu se réalise, tu peindras le deuxième œil pour le remercier...

Il me tend un pinceau. Je le prends, l'approche de la statuette... Pendant une seconde, je me demande si Sonoko n'est pas une fée d'Asie, et ses parents des sorciers...

Je vois le café, avec Roméo et Virginie. C'est ça mon vœu. Rester avec eux !

43

CHAPITRE 4

J<small>E RANGE</small> le darouma borgne dans ma chambre, au milieu de mes jouets, de mes livres. Le premier jour, Catimini le renifle avec méfiance. Puis, ils deviennent bons copains.

Je n'explique pas à Roméo et Virginie ce que signifie l'œil manquant. Je dis simplement qu'il s'agit d'un cadeau de mon amie. Ils sont contents : avant Sonoko, j'étais triste, sans aucun camarade.

Je me promène presque tous les jours avec Sonoko.

On se balade dans le quartier, je lui montre mes endroits favoris, les squares, les manèges, une grande boutique de jouets, avec des billards, des châteaux de cartes, des kilomètres de train électrique, du côté de la Bastille.

Elle me raconte ses histoires de tigre, le jour où elle a escaladé la tour Eiffel et mangé le président de la République, la fois où, encore au Japon, elle s'est battue contre un dragon dans le cratère d'un volcan. Moi, je lui parle du café, des clients.

Plus je la vois, mieux ça marche en classe. Je me dispute moins, le directeur m'oublie.

Le soir, après nos promenades, je cours vers le café. Je l'aime ; il brille jaune et chaud comme un petit soleil. Dans ma chambre avant de m'endormir, je me tords le cou pour repérer *La Lanterne d'Asakusa*, et peut-être la chambre de Sonoko, au premier étage.

Parfois, Sonoko me demande :

— Dis… Tu ne m'invites pas chez toi ?

Moi aussi, j'ai envie qu'elle vienne. Mais d'abord, je dois devenir lion.

Pourquoi pas ? Elle est bien tigre !

Quand je suis seul, je me creuse la tête pour renifler comme un lion, ronfler, rugir comme lui...

Roméo et Virginie prétendent en riant que chaque jour, je sens davantage le sable, la jungle, la savane...

Et un jour, ça marche !

Ça arrive d'un coup, sur la Place de la République.

Il fait beau, et je m'installe devant le grand lion, en bas de la statue. Je ne bouge pas, accroupi sur le trottoir, le menton entre mes mains.

Il y a un manège, un stand d'autos tamponneuses, une roue de loterie, des centaines de gens qui entrent et qui sortent du métro, des brasseries, des grands magasins. Parfois, les garçons de l'école passent et me crient :

— Hé ! Le Chinois !

Je ne fais pas attention à eux. Je ne regarde que l'animal statufié. Et petit à petit... je deviens lion...

J'attrape des oreilles rondes, une crinière qui claque au vent, de grosses pattes et d'énormes rugissements au fond de ma gorge.

Je me lève brusquement, fonce jusqu'au quai de Jemmapes et braille en claquant la porte du café :

— **_Rrrrrraaoorr !!_** Ça y est ! J'suis un lion !

Catimini se nettoie les moustaches entre deux bouteilles d'apéritif.

Je lui hurle sous le museau :

— Je suis un lioooooon !!

Il lâche un miaulement dégouté et s'enfuit à toutes pattes. J'suis vraiment le roi des animaux ! **_Graôôôrr !_**

Roméo et Virginie me regardent, interloqués, mais je cavale déjà dans la rue : c'est mercredi, j'ai rendez-vous avec Sonoko.

Je galope à sa rencontre.

Elle porte un bandeau noir sur ses cheveux, une blouse de soie noire. Je ne la laisse pas ouvrir la bouche :

— Ça y est ! Je suis un lion !

Elle m'examine d'un œil soupçonneux :

— Oui ? Alors, raconte-moi une histoire de lion...

Je l'entraine vers le canal.

— Viens voir...

Tous les deux, on se penche sur l'eau. On rapproche nos têtes, et je commence :

— L'autre matin, j'étais un lion, et j'ai décidé de prendre des vacances. En péniche ! D'un coup, j'ai eu soif, j'ai commencé à boire, tellement boire que j'ai avalé toute la Seine, et que la péniche s'est retrouvée sur un tas de cailloux. Les éclusiers s'arrachaient les cheveux de désespoir mais ils n'osaient rien me dire, puisque j'étais un lion !

Elle rit de bon cœur.

— Ensuite, tu as fait quoi ?

— Je suis redevenu Benjamin, et j'ai acheté trois billets d'avion : Londres pour boire la Tamise, Vienne pour gober le Danube, et Moscou pour laper la Volga !

Sonoko rit, rit ! Je me sens heureux. Je propose :

— Maintenant, je t'invite chez moi !

Au café, je la présente à Roméo et Virginie.

Lui rigole, on dirait qu'il va lui offrir un cigare. Virginie pianote une polka sur la caisse enregistreuse.

Je montre le bar à Sonoko, la façon de présenter un express, ou un crème, de couper la mousse de la bière avec une spatule de bois, et le saucisson aussi fin que possible.

On se regarde ensemble dans le miroir, au fond du café.

On se ressemble, avec nos yeux fendus, nos cheveux noirs, les siens longs et soyeux, les miens en frange, coupés au bol. Ça me fait plaisir.

Ensuite, on escalade l'escalier, jusqu'à ma chambre. Sonoko se penche à la fenêtre, ravie, regarde la Seine :

— On se croirait en bateau ! Et on aperçoit le quai de Valmy, la *Lanterne*, ma fenêtre.

On s'assoit sur mon lit. Et j'avoue :

— J'ai un cadeau ! Je l'ai préparé pour toi.

Je lui offre ma collection de sucres, volés à Virginie ou mendiés aux clients. Plus de cent. Des fleurs, des oiseaux exotiques, des clowns, des drapeaux, des navires, des locomotives… Je les garde depuis que j'habite chez Roméo et Virginie.

Sonoko aime surtout le toucan, l'ara, et la caravelle de Christophe Colomb.

J'ai l'impression que, du haut de son étagère, le darouma m'adresse un clin d'œil.

Le samedi suivant, les papiers arrivent enfin. Je peux rester à *La Péniche jaune*, pour toujours !

Roméo et Virginie s'embrassent, m'embrassent, ça dure un temps fou. Ce maudit Catimini en profite pour vider un pot de rillettes. Je grimpe dans ma chambre je dessine un œil de travers au pauvre darouma ! Ensuite, je fonce rejoindre mon amie.

Sonoko m'attend sur le pont.

Je lui prends les mains :

— Je veux t'embrasser !

Elle est d'accord.

On s'embrasse, là, au milieu du pont.

C'est drôle, une peau de fille : doux comme une oreille de chat, chaud comme une fenêtre au soleil, et frais comme une bruine sur la Seine...

Et puis, je lui demande :

— On recommence. Mais sur la pointe des pieds.

Elle rit :

— Pourquoi, Benjamin ?

Je lui souris :

— Pour être plus grands, et s'embrasser plus fort, comme les grands !

Mais on ne passe pas sa vie à s'embrasser. Alors, Sonoko et moi, on devient un tigre souple et féroce, un lion farouche et furieux, et on s'en va chasser la gazelle et l'hippopotame dans les rues de Paris.

Quand l'homme réinvente la rivière

Comment transporter des marchandises d'un lieu à un autre ?
Les hommes ont depuis longtemps trouvé une solution :
ils ont construit des cours d'eau artificiels,
les canaux. Ces canaux relient
rivières, fleuves, mers
ou océans entre eux.

Lancé en 1880 par le Français Ferdinand de Lesseps, le canal de Panama fut inauguré en 1914.

Un chantier gigantesque

Une fois qu'on a décidé de construire un canal, le plus dur commence. Les ingénieurs pensent au moindre détail : la longueur, la largeur et la profondeur du canal, la solidité et l'étanchéité des berges. Il ne faudrait surtout pas de fuites ! Autrefois, creuser des canaux était long et dangereux. Ainsi, le canal de Panama, ce raccourci de presque 80 km entre l'océan Atlantique et l'océan Pacifique, a demandé 34 ans de travaux. Aujourd'hui de gros cargos y circulent.

Le sais-tu ? Dans le sud ouest de la France, le Canal du Midi s'appelle aussi canal des Deux-mers car il relie l'Atlantique à la Méditerranée. Construit sous Louis XIV, il attire aujourd'hui de nombreux touristes désireux de voyager au cœur de la nature.

Lentement, mais surement

Les péniches longues et plates qu'on voit circuler cachent bien leur jeu ! Leurs cales peuvent contenir des dizaines de tonnes de grains, de ciment, de gravier, de produits industriels. Parfois, plusieurs barges forment un convoi propulsé par un bateau pousseur. Quand les péniches ne circulent pas, elles peuvent servir d'entrepôts.
À 5 km à l'heure, les péniches vont moins vite que le train mais transportent 5 fois plus de marchandises.

La péniche est entrée dans l'écluse sur le canal Saint-Martin. L'éclusier vide l'écluse : la péniche descend. Puis, elle sort de l'écluse pour poursuivre sa navigation.

Témoignage

La vie sur l'eau

Je m'appelle Alizée et je suis élève dans un internat car mes parents sont mariniers. Ils voyagent toute l'année à cause de leur métier ! Pendant les vacances, je les rejoins sur la péniche. Il y a toujours des choses à faire : charger ou décharger la marchandise, se ravitailler en nourriture et eau potable, faire le plein de fuel, réparer la coque, passer les écluses... Les écluses c'est comme si on prenait un ascenseur pour descendre ou monter dans la voie d'eau suivante.

Avant l'invention des moteurs, des chevaux circulaient sur les chemins de halage le long des canaux et tractaient les péniches.

Chat-Mouillé

Carmélito

Les joyeux
fêlés du poulailler

Carmen

Bélino

Coquenpâte

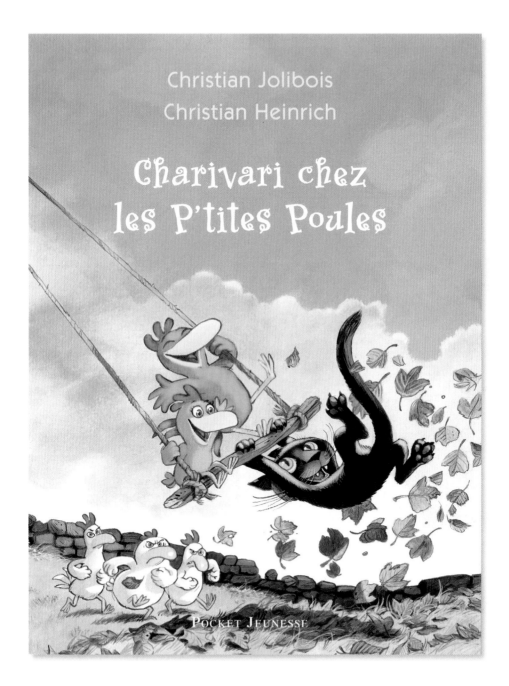

～ Épisode 1 ～

Pour rien au monde Carmélito et ses copains n'auraient manqué l'ouverture de la pêche. Mais, hélas, ils n'ont pas encore pris le moindre petit goujon ! Au bout de leurs hameçons, les asticots s'ennuient et passent le temps en faisant des ronds dans l'eau…

— Pfff… ça ne mord pas ! s'impatientent les petites poules.
Sur la berge, les jeunes poussins mènent un joyeux tapage.
— Silence, les marmots, chuchotent les pêcheurs. Vous faites fuir les poissons !

— J'ai une touche ! s'exclame soudain Coquenpâte. C'est un gros !

Sous le regard envieux de ses amis, Coquenpâte remonte fièrement sa prise. Ce n'est ni un saumon ni un brochet, mais un vieux sac de toile.

— C'est à moi ! Écartez-vous, ordonne Coquenpâte.

À peine a-t-il dénoué la ficelle qu'il pousse un cri d'effroi :

— Sauve qui peut ! Un chat noir !

Un chat porte-malheur !!!

La petite Carmen s'approche du rescapé :

— Tu l'as échappé belle, mon chaton ! Quelle drôle d'idée d'apprendre à nager dans un sac...

Son frère Carmélito n'est pas très rassuré.

— Ne touche pas à ce matou, Carmen ! On dit que les chats noirs sont maléfiques.

— Comment un garçon aussi intelligent que toi peut-il croire ces sornettes ? se moque sa sœur.

Carmélito, tout penaud, entreprend de frictionner le pauvre animal afin de le sécher et de le réchauffer.

— Comment t'appelles-tu ? lui demande-t-il.

Le petit félin répond qu'il n'a pas encore de nom.

— Eh bien, je propose qu'on t'appelle « Chat-Mouillé », dit Carmen en le serrant très fort contre elle.

Le chaton noir leur raconte qu'il est venu au monde au moulin des Quatre-Vents.

— Tous mes frères et sœurs avaient le pelage tigré, sauf moi… Je ronronnais de plaisir lorsque maman chantonnait à mon oreille :

Qui est ce shah, ce pacha,
ce beau prince que voici ?
C'est mon petit, mon petit chat
dans sa belle chemise de suie.

Mais, ce matin, le meunier m'a découvert et sauvagement arraché à ma mère : « Fils du diable, je vais te tuer avant que tu n'apportes le malheur dans ma maison ! » Puis il m'a ficelé dans un sac et jeté à la rivière.

~ Épisode 2 ~

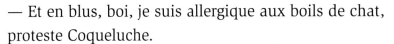

Le retour de Carmen et Carmélito est salué par des cris horrifiés. Quel charivari !

— Nom d'une coquille ! Regardez ! Ils ramènent ce maudit chat noir !

— Enfer et crotte de poule !

— Les chats noirs, c'est comme le chiffre 13, ça porte malheur !!!

— Malédiction ! Les pires calamités vont s'abattre sur nous !

— Et en blus, boi, je suis allergique aux boils de chat, proteste Coqueluche.

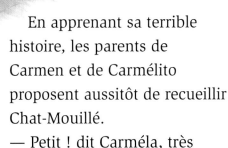

En apprenant sa terrible histoire, les parents de Carmen et de Carmélito proposent aussitôt de recueillir Chat-Mouillé.

— Petit ! dit Carméla, très émue, je cours te préparer un bon lait de poule.

— Suis-moi, fiston ! lance Pitikok. On va t'installer dans le nid d'amis.

Minuit. Alors que les poules dorment comme des marmottes, les trois amis ne sont toujours pas couchés.

— On peut garder la lumière allumée ? demande le petit chat.

— Pourquoi ? T'as peur du noir ? s'esclaffe Carmen.

— Non ! Mais les rats et les souris… ça me donne la pétoche ! D'ailleurs, j'en flaire un qui n'est pas très loin d'ici…

Carmen le rassure :

— Crois-moi, petit Chat-Mouillé, un jour, tu deviendras
le plus redouté, le plus respecté des chats. Un jour, tu seras…
un grand seigneur !!!

— Ce n'est pas bientôt fini,
ce boucan, là-haut ?!
On veut dormir !!!

À l'aube, on apprend qu'un drame épouvantable s'est produit dans la nuit.

— Au voleur ! À l'assassin ! Au meurtrier ! Justice, juste ciel, on a volé nos œufs !

Pour les petites poules, le responsable de ce malheur est tout trouvé.

— C'est sa faute !

— Vagabond ! Chat sans maison ! lui crie méchamment Cudepoule. Tu n'as rien à faire au poulailler. Tu n'es qu'un… un chat-nu-pieds !

La jeune volaille se déchaine.

— Va-t-en, chat-nu-pieds !

— Hors d'ici, maudit chat noir !

— Décidément, vous n'avez pas grand-chose sous la crête, s'indigne Carmen. Tout ça, c'est de la superstition !

— Ma sœur a raison ! C'est de la… euh… de la… comme elle dit !

— Arrêtez ! se met à hurler Coquenpâte. Ne faites pas ça, pauvres fous ! Passer sous une échelle, ça aussi, ça porte malheur !

Quelques jours plus tard, les feuilles commencent à tomber.
Les petites poules n'ont jamais vu ça et elles se mettent à trembler.
— Au secours ! Au secours ! Les arbres se transforment en
squelettes !

Une fois encore, le petit chat noir est désigné comme coupable.
— Les œufs de nos mamans disparaissent, et maintenant les arbres
qui meurent ! Ce sale matou est la cause de tout !

— Chat-nu-pieds doit quitter le poulailler !

— Du calme ! intervient Pédro le Cormoran. Sachez que, en
automne, il est naturel que les feuilles tombent… Par contre, ce
qui est vrai, c'est que les nuits de pleine lune, les chats noirs
accompagnent les sorcières au sabbat, à califourchon sur un balai !
— Quelle andouille ! soupire Carmen.

~ Épisode 3 ~

Durant les semaines qui suivent, Carmen et Carmélito aident le minou à vaincre sa peur des rats et des souris ; bref, à devenir un vrai chat… Peine perdue.

— Ce n'est pas grave, le consolent Carmen et Carmélito.

Et puis, un jour, enfin…

— Hé, réveille-toi, Chat-Mouillé ! Nous avons de la visite,
fait Carmélito.

— Hé, hé, conclut le matou d'un air chafouin, il faut toujours
se méfier du chat qui dort !

Un mois a passé. Le chat noir a grandi… grandi… grandi… au point d'être maintenant à l'étroit dans le petit nid d'amis. Ce matin-là, lorsqu'elles ouvrent la porte, une surprise attend les petites poules : la bassecour a disparu sous une étrange couche de sucre glace.

65

Le premier moment de stupeur passé, elles découvrent bien vite les joies de la neige : glissades, chutes, cabrioles, gadins et derrières mouillés.

— Écartez-vous !

— Chaud devant !

— Roule, ma poule !

On pourrait croire la paix retrouvée au poulailler.

Mais la fête est tout à coup interrompue par les cris horrifiés de Molédecoq.

— Venez voir ! C'est affreux ! L'eau de la rivière est devenue dure comme la pierre ! Comment allons-nous boire ?

Malédiction !!!

— Une nouvelle fois, ce maudit chat noir a attiré le malheur ! s'écrie Coquenpâte. Maintenant, ça suffit ! Qu'on le chasse d'ici !

Courageusement, Carmen et Carmélito s'apprêtent à prendre la défense de leur ami...

— C'est inutile, annonce Chat-Mouillé, très calme. Je viens vous faire mes adieux.

Le chat noir a décidé que le temps était venu pour lui de partir à la découverte du vaste monde.

— Mon grand, déclare Pitikok, tu es le plus fameux chasseur de souris que je connaisse. Tu vas nous manquer !

Les quatre amis sont inconsolables :
— Sniff ! fait Carmen.
— Bêêêêê ! geint Bélino.
— Bouhou ! sanglote Carmélito.
— Allons, allons, dit Chat-Mouillé.
Est-ce que je pleure, moi ?

Coquenpâte et les autres petites poules ont du mal à dissimuler leur joie.
— Au plaisir de ne jamais te revoir… Chat-nu-pieds !!!
— Bon débarras ! Et maintenant que ce porte-malheur est enfin parti, retournons nous amuser.

～ Épisode 4 ～

Un matin, alors que tout le monde dort encore, trois sinistres silhouettes se dirigent à pas feutrés vers le poulailler. C'est le féroce Rattila et sa bande. Des maraudeurs sanguinaires, des pillards de la pire espèce !

— Sentez-moi ce fumet, les gars ! dit Rattila. Il y a dans ce garde-manger plus d'œufs que nous ne pourrons en gober ! Allons-y !

— Personne ne bouge, c'est un holdup !

Surpris dans son sommeil, Pitikok ne peut voler au secours des pauvres poulettes terrorisées.

La sauvagerie n'épargne pas les petits, qui croient leur dernière heure venue.

PAPA ! MAMAN !

— Pas un cri, les mômes ! Le premier qui ouvre le bec, je le saigne !

Les mamans poules assistent, impuissantes, au vol de leur bien le plus précieux.

— T'as de beaux œufs, tu sais !

Mais voilà que la porte du poulailler s'ouvre à nouveau avec fracas.

— Chat-Mouillé ! s'écrient en chœur Carmen et Carmélito !

69

Les trois brutes se précipitent vers lui, toutes dents dehors. Chat-Mouillé, sans trembler, bondit et élimine un premier adversaire, qui en perd son chapeau. Coiffé de sa prise de guerre, le chat met illico le deuxième hors d'état de nuire.

— Aaarh ! Je suis fait comme un rat !

Rattila, sentant que l'affaire tourne mal, abandonne ses complices. Pour protéger sa fuite, ce grand lâche s'empare d'un jeune otage.

Tandis que le chat noir passe autour de la taille son deuxième trophée, les poules applaudissent et félicitent chaleureusement leur sauveur.

— Mon héros ! laisse échapper Carmen d'une voix pleine d'admiration.

Ils sont interrompus par Hucocotte, blanche comme un linge.

— Au secours ! Au secours ! Venez vite ! Rattila a enlevé notre copain Coquenpâte.

N'écoutant que son courage, Chat-Mouillé s'élance aussitôt à la poursuite du criminel.

— Prête-moi ta plume, mon ami Pédro !

Carmen et Carmélito, suivis de Bélino, courent aussi vite
que le permettent leurs petites pattes. Ils tremblent à l'idée qu'on
fasse du mal à leur gros copain. Alors qu'ils s'apprêtent à pénétrer
dans la forêt…

— Que j'ai eu peur, les amis. C'est le chat noir qui m'a délivré !
 Il a mis une de ces ratatouilles à mon ravisseur… Venez voir !

— Hé, hé ! On dirait que Rattila a cessé de nuire, glousse
Carmélito.

— Ce monstre a voulu me manger, raconte Coquenpâte, encore tout
bouleversé. « Je vais me faire un sandwich au poulet », qu'il disait.

— Ben, où est passé mon chat ? s'inquiète Carmen.

Et soudain…

— Chat–Mouillé ! s'écrie la poulette.

— Hé ! Hé ! Hé !… Que dites-vous
de cette tenue, les amis ? Maintenant,
je dois filer. Mon nouveau maitre
m'attend. ADIEU !

— Tu sais, je regrette de t'avoir traité de chat-nu-pieds ! C'était méchant ! lui lance Coquenpâte, reconnaissant. Désormais, et pour toujours, on t'appellera… le Chat Botté !

Quelque temps plus tard, par une belle et chaude journée d'été…
— Une voiture se dirige vers nous au grand galop ! s'écrie Carmélito.

— Chat Botté !!!

— Waouuuh ! s'extasie Carmen. Tu roules en carrosse !!!
Alors, ce que j'avais prédit est arrivé ?
Tu es devenu un grand seigneur !
— Mes amis, annonce le Chat Botté
en ronronnant de bonheur,
j'ai une surprise.
— Permettez-moi
de vous présenter…
mes treize enfants !!!

— YOUPIIII !!!!!

Superstitions :
y croire ou pas ?

On dit que « passer sous une échelle »
ou « voir un chat noir traverser la rue »
porterait malheur. Alors, imagine qu'une
personne passe sous une échelle et
voit un chat noir traverser la rue...
Que lui arriverait-il ?

 Être superstitieux, c'est croire que certaines
choses portent malheur ou bonheur.

Des bisous ?
Pas n'importe où !

En Suède comme en France,
le jour de l'an à minuit, les gens ont
l'habitude de s'embrasser sous une
branche de gui pour se souhaiter une belle
année. Sans doute parce que le gui, comme
le houx, est le symbole de l'immortalité :
il reste vert toute l'année.
En Russie aussi, on s'embrasse, mais
attention, pas sur le pas de la
porte car des mauvais génies
pourraient venir vous
contrarier...

Le nombre 13

En Europe, certaines personnes jouent au loto le vendredi 13 car ce jour porte chance dit-on. Aux États-Unis au contraire, les Américains se méfient tellement du nombre 13 qu'ils préfèrent ne pas le voir. Dans les grands hôtels, l'étage numéro 13 n'existe pas, tout simplement : on va directement du 12e au 14e étage !

Le bois magique

Pour attirer la chance, certains disent parfois : « Je touche du bois ! » et... ils en touchent vraiment. Ce geste remonterait à l'Antiquité : le bois abritait le génie protecteur du feu.

Le sais-tu ?

Bonheur ou malheur ?

Dans plusieurs pays d'Afrique et autour de la Méditerranée, on croit beaucoup au « mauvais œil », c'est-à-dire aux mauvais sorts. Pour se protéger, certaines personnes portent des amulettes ou un fil rouge autour du poignet.

En Turquie, dans la croyance populaire, « l'œil bleu » éloigne le « mauvais œil » et porte bonheur. On l'attache à l'entrée des maisons, dans sa voiture, sur les vêtements des bébés...

«Soudain, j'ai entendu un hurlement terrible, un cri d'horreur...»
Cauchemar, invention ou réalité... menons l'enquête.

■ *L'Assassin habite à côté*, © Syros 1995/2014.

L'assassin
habite à côté

Florence
Dutruc-Rosset

Jeff
Pourquié

Chapitre 1

J'AIMERAIS vous poser une question : est-ce que vous avez déjà eu peur, très peur ? Parce que moi, il y a quelques semaines, j'ai eu la trouille de ma vie.

Bien sûr, tout le monde a peur de descendre tout seul à la cave ou de se retrouver nez à nez avec une grosse araignée velue ! Mais moi, je vous parle de la vraie peur, celle qui vous fait trembler les genoux et claquer des dents... Aïe, aïe, aïe ! Rien que d'y repenser, ça me glace le sang !

Tout a commencé le jour où un homme est venu s'installer dans la maison d'à côté. C'était un évènement parce que la maison est abandonnée depuis des années.

Les murs sont devenus tout gris, tout tristes. À certains endroits, il y a même de la moisissure. De grosses toiles d'araignée pendent du toit. Les volets sont cassés. Ils grincent même quand il n'y a pas de vent.

Tout autour, les mauvaises herbes et les ronces ont tellement poussé qu'elles m'arrivent aux épaules. Je suis sûr qu'il y a des rats et des serpents là-dedans ! Bref, un homme est venu habiter dans cette maison.

Il était habillé tout en noir. Il avait les cheveux longs et gris, comme les murs de la maison. Son visage était tout pâle et il avait des yeux noirs et brillants. Et puis, il m'a paru très grand. Papa a beau dire qu'il n'est pas si grand que ça, moi je suis sûr qu'il mesure deux mètres !

Pendant des semaines, je l'ai observé discrètement, le voisin... Il ne parlait à personne dans le quartier. Parfois, il restait enfermé toute la journée sans ouvrir les volets.

Et quand la nuit tombait, aucune lumière ne brillait chez lui, à part une petite lampe au sous-sol. Je me suis souvent demandé ce qu'il y fabriquait, dans ce sous-sol…

J'avais remarqué qu'il sortait tous les mardis soir. J'ai plusieurs fois eu envie de le suivre, mais quelque chose me disait qu'il valait mieux rester chez moi…

Chapitre 2

Un soir, j'ai été témoin d'une chose abominable. C'était un soir du mois dernier. Maman m'avait demandé d'aller chercher Mozart dans le jardin. Mozart, c'est mon chat. J'étais en train d'agiter des feuilles par terre pour attirer Mozart quand, tout à coup, j'ai aperçu le voisin qui rentrait chez lui. Je me suis caché derrière un arbre.

Mince alors, il n'était pas seul ! Une dame l'accompagnait. C'était bien la première fois qu'il recevait quelqu'un chez lui. Ils sont entrés dans la maison, j'ai entendu la porte claquer et puis plus rien. Je me suis remis à la recherche de Mozart...

Soudain, j'ai entendu un hurlement terrible. Un cri d'horreur... le cri d'une femme qu'on égorge ! Mon cœur s'est arrêté de battre. Ce cri résonnait dans ma tête. C'était affreux ! Aucun doute, ce cri venait du sous-sol de mon voisin...

J'ai été pris de panique et j'ai couru jusqu'à la maison. Mozart a détalé lui aussi. Il est arrivé avant moi dans le salon. Mon cœur battait la chamade. Je suis monté directement dans ma chambre. J'avais du mal à respirer. Et là, j'ai regardé par la fenêtre. Il y avait de la lumière au sous-sol…

J'ai attendu longtemps. Je voulais voir ce qui allait se passer. Je voulais voir la dame sortir de la maison, rentrer chez elle. Je voulais être sûr qu'il ne lui était rien arrivé… Subitement, la porte de la maison s'est ouverte. J'ai retenu mon souffle. Pourvu que…

Non ! Ce n'était pas vrai, ce n'était pas possible ! C'était trop horrible ! Le voisin portait une blouse avec plein de taches dégoulinantes et il trainait derrière lui un énorme sac-poubelle qui semblait être très lourd… aussi lourd qu'un être humain !

Je rêvais !! C'était impossible que mon voisin fût un assassin. Il n'avait pas tué cette pauvre femme. Elle était surement sortie par une autre porte.

Mais non, je n'avais pas quitté la maison des yeux ! Peut-être que mon voisin se débarrassait tout simplement de ses ordures !

Mais alors, pourquoi avait-il une blouse pleine de taches … comme du sang ? Tout ça était vraiment abominable !

Il fallait que je prévienne mes parents le plus vite possible. Eux, ils sauraient. Je suis descendu dans le salon et je leur ai tout raconté en bafouillant. Quand j'ai commencé à parler de la poubelle, maman m'a coupé la parole. Elle est devenue toute rouge et elle s'est tournée vers mon père en levant les yeux au ciel.

— Ton fils est complètement intoxiqué par la télé. Toute cette violence des séries américaines... Évidemment, il y a des cadavres à la pelle... Ça lui monte à la tête.

J'ai essayé de lui expliquer que je n'avais rien inventé, que c'était la vérité. Mais papa s'est levé, m'a regardé droit dans les yeux et m'a dit :

— À partir de demain, plus de télé les jours de semaine. Uniquement le weekend. Allez, monte te coucher maintenant !

Alors là, j'étais dégouté. Non seulement personne ne me croyait mais en plus j'étais privé de télé.

Et tout ça à cause de mon voisin de malheur....

Je suis retourné dans ma chambre, j'avais envie de pleurer. Je me suis jeté sur mon lit et j'ai écouté mon iPod, en mettant le volume à fond.

Chapitre 3

Le lendemain, je n'avais qu'une idée en tête : voir Totor. Totor, c'est mon meilleur copain. Maman dit qu'il n'a pas une bonne influence sur moi, que c'est un mauvais élève et qu'il est toujours prêt à faire des bêtises. Oui, c'est vrai ! Mais c'est justement pour ça que c'est mon copain !

À la récré, j'ai pris Totor entre quatre yeux, et je lui ai raconté toute l'histoire. La dame, le cri, la blouse, le sac-poubelle : TOUT. Totor n'en revenait pas. Pour lui, ça ne faisait pas un pli : mon voisin était un fou dangereux, évadé de prison, qui découpait les gens en morceaux.

Je lui ai dit :

— Totor, tu ne crois pas que tu y vas un peu fort ! Après tout, ce sont peut-être des coïncidences !

Il m'a répondu :

— Des coïncidences ! Mais tu rêves ! Écoute-moi. Cette femme savait tout sur ton voisin. Elle voulait le dénoncer à la police. Alors lui, il l'attire chez lui, il la tue, la découpe en morceaux et la jette aux ordures. Le crime parfait ! Ce type est un monstre !

Alors là, ça m'a fait frémir. Les explications de Totor collaient parfaitement à ce que j'avais vu. Maintenant, c'était sûr, mon voisin était un assassin, un malade assoiffé de sang. Il fallait faire quelque chose. J'ai proposé :

— Et si on prévenait la police ?

Totor m'a regardé, l'air ébahi :

— La police ! Mais t'es dingue ! Tu veux être la prochaine victime de ton voisin ou quoi ?

Klurps ! J'ai avalé ma salive de travers. L'idée de finir en morceaux dans un sac-poubelle ne me réjouissait pas vraiment.

J'en avais même des sueurs froides le long du dos.

Totor a ajouté :

— J'ai une meilleure idée ! Tu veux être sûr que ton voisin est un meurtrier ? Tu veux des preuves ? Alors, il n'y a qu'une seule solution...

Je n'osais penser à la fin de sa phrase. Puis elle est tombée comme un couperet.

— ... aller chez lui inspecter son sous-sol de plus près !

Aïe ! Ce que je redoutais le plus ! Et impossible de me défiler...

Alors voilà. Totor et moi, on avait décidé d'entrer en cachette dans la maison qui me faisait le plus peur au monde...

Chapitre 4

AVEC TOTOR, on avait tout prévu. Notre expédition aurait lieu le mardi suivant. J'avais réussi un coup de maitre : maman avait accepté que Totor dorme à la maison. Comme j'avais eu un 14 en maths, ça n'avait pas été très dur. En plus, le lendemain, c'était le premier jour de la fête foraine. J'avais donc dit à maman que Totor et moi, on irait tôt le matin.

Tout semblait marcher comme sur des roulettes. J'avais presque oublié ma peur. Malheureusement, elle est vite revenue le jour J.

Le mardi soir, à table, je n'ai pas ouvert la bouche. C'était Totor qui racontait sa vie et maman qui essayait de le convaincre de travailler en classe. Moi, je pensais :

« Vivement demain, que tout soit fini ! »

Après le repas, Totor et moi, on a fait semblant d'aller se coucher. On a enfilé notre pyjama, on a dit bonsoir à tout le monde, gentiment, et on est montés dans ma chambre. Là, sans bruit, on s'est rhabillés et on a attendu que papa et maman aillent dormir.

On n'arrêtait pas de regarder par la fenêtre pour être surs que l'Assassin partirait, comme tous les mardis soir.

À un moment, le voisin est sorti. Il a fermé sa porte à clé. Il est monté dans sa voiture. Et il a disparu au coin de la rue.

— Le chemin est libre ! m'a murmuré Totor.

Moi, j'ai préféré ne rien dire sinon ma voix aurait trembloté. Totor avait apporté des tas de trucs dans son sac à dos : une lampe de poche, une corde, des gants de jardinage, une loupe, des tournevis, un appareil photo...

Je lui ai demandé :

— À quoi ça sert tout ça, Totor ?

— Je n'en sais rien, moi. Mais un grand détective doit toujours avoir du matériel sur lui !

Quand il n'y a plus eu aucun bruit dans la maison, Totor et moi, on est descendus sur la pointe des pieds. On a ouvert délicatement la porte d'entrée et on s'est faufilés dans le jardin.

La nuit était vraiment sombre.

J'avais beau chercher la lune pour me rassurer, je ne la trouvais pas. Mince, une nuit sans lune : c'était bien ma veine ! Je suivais Totor qui avait l'air d'un fantôme noir. Il a allumé la lampe de poche et s'est enfoncé dans les hautes herbes, celles qui grouillent de rats et de serpents... Je faisais une grimace horrible chaque fois que je posais le pied par terre. J'étais persuadé que j'allais écraser quelque chose de gluant. De toute façon, j'étais bien obligé d'avancer. Je n'allais pas rester là, en plein milieu de cette forêt vierge !

Au bout d'un moment, on est arrivés devant la porte d'entrée de l'Assassin. Totor m'a dit :

— Même pas besoin de mon matériel ! Il y a un carreau cassé. On n'a qu'à passer la main et ouvrir la porte-fenêtre de l'intérieur. J'ai vu ça dans les films !

Et, en un clin d'œil, on s'est retrouvés chez l'Assassin. Ça sentait le renfermé là-dedans et il faisait aussi froid que dehors. Totor m'a mis la lampe de poche dans les mains et m'a dit :

— Prends ça, je ferme la porte ! Toi, tu n'as qu'à chercher le sous-sol !

Il faisait noir dans cette pièce, très noir. J'ai bougé la lampe de poche dans tous les sens pour inspecter le moindre recoin.

Et si l'Assassin était là ? S'il était revenu sans bruit pour nous piéger ? S'il était dans le fauteuil... Là ? Ou allongé par terre, prêt à s'agripper à nos jambes ? Ou derrière moi ?

À ce moment-là, une main s'est posée sur mon épaule. J'ai poussé un hurlement. Je me suis retourné, prêt à m'évanouir. C'était Totor !

— C'est moi, gros trouillard ! Allez, avance, faut pas trainer !

Je me suis enfoncé dans le noir, guidé par le mince filet de lumière de ma lampe de poche. Tout à coup, j'ai aperçu un escalier. C'était le passage qui menait au sous-sol...

J'ai hésité un instant : « Et si on trouvait des cadavres... »

Totor m'a poussé dans l'escalier. Je suis descendu comme un automate. J'avais une grosse boule dans l'estomac. Au bas des marches, il y a avait une porte.

C'était là !

Peut-être que, si je l'ouvrais, un monstre allait me sauter dessus et me déchiqueter en morceaux.

Mais peut-être aussi qu'on n'allait rien trouver… que ce serait une pièce banale… Mais oui ! Totor et moi, on avait eu trop d'imagination. Derrière cette porte, il y aurait surement un bureau et quelques livres bien rangés.

J'ai ouvert la porte d'un coup sec. Et là, dans le halo de ma lampe : HORREUR ! il y avait une boite remplie d'yeux. Des yeux ronds comme des billes qui nous regardaient… Et à côté, un squelette… Un squelette pendu au plafond ! J'ai lâché la lampe en hurlant. Totor a déguerpi en moins de deux. On criait comme des fous. On est sortis aussi vite que l'éclair. On a couru dans les hautes herbes sans se retourner.

Et on est rentrés à la maison, complètement terrorisés.

Chapitre 5

LE LENDEMAIN, c'était mercredi, le jour de la fête foraine. Totor et moi, on n'avait pas fermé l'œil de la nuit. On avait grelotté sous notre couette sans se dire un mot.

Maman est venue dans notre chambre de bonne heure. Elle croyait qu'on serait fous de joie à l'idée de retrouver les autotamponneuses et les montagnes russes. Mais nous, on n'avait pas du tout envie d'y aller. On avait même un peu mal au cœur.

À la fête foraine, on a erré comme deux zombies. On passait devant les attractions, le regard dans le vague. Et puis, soudain, j'ai aperçu un grand type avec un costume noir. Ça m'a fait comme un coup dans la poitrine. Je l'ai regardé de plus près : l'Assassin !

Il était là, à la fête foraine. Il était surement à la recherche d'une nouvelle victime... Quelle horreur ! Il parlait avec la dame qui vendait les billets pour le train-fantôme. C'était peut-être elle, la prochaine sur la liste...

Totor m'a pris par le bras et m'a entrainé vers eux.

J'ai crié :

— Mais tu es fou, c'est trop dangereux !

Totor m'a répondu :

— Écoute. L'Assassin ne nous a jamais vus. Il ne nous connait pas. Ne t'inquiète pas, nous ne risquons rien !

Nous avons fait la queue pour le train-fantôme. Je n'osais pas regarder l'Assassin. Mais quand est arrivé notre tour de prendre les billets, j'ai été bien obligé. Et alors là... j'ai cru que j'avais une hallucination.

C'était une revenante qui me tendait mon billet ! La dame découpée en morceaux, jetée dans un sac-poubelle était là, en chair et en os !

Elle discutait avec l'Assassin !

Alors là, je n'y comprenais plus rien ! Je n'ai pas eu le temps de ranger les idées qui s'entrechoquaient dans ma tête. Un type nous a installés, Totor et moi, dans un wagonnet et on a commencé le parcours du train-fantôme.

Il faisait tout noir et il y avait de drôles de bruits : des craquements bizarres, des cris d'animaux... Tout à coup, une chauvesouris nous a frôlé les cheveux. Totor et moi, après tout ce qu'on avait vécu, on n'allait pas être impressionnés par un simple spectacle ! Le wagonnet avançait de plus en plus vite.

À un moment, Dracula nous a barré le passage. Il était drôlement bien fait ! Il avait deux dents de vampire et du sang qui dégoulinait sur son menton. Beurk ! Totor et moi, on était morts de rire.

Et puis, la sorcière est apparue. C'est là que j'ai eu un choc. Elle poussait exactement le même cri que celui que j'avais entendu dans le jardin, le soir du crime. Je l'aurais reconnu entre mille !

Un peu plus loin, un squelette est tombé du plafond. Exactement le même squelette que dans le sous-sol de l'Assassin.

Totor et moi, on s'est regardés en même temps. On venait de tout comprendre.

Quand on est sortis du train-fantôme, mon voisin est venu vers moi. Il m'a dit :

— Je te reconnais, toi. T'es mon voisin, non ? Je te vois passer tous les jours.

J'ai bredouillé :

— Euh... je... je...

— Ça vous a plu mon train-fantôme ? Allez, madame Rose, donnez-leur deux places gratuites.

Alors là, Totor et moi, on n'en revenait pas.

Chapitre 6

MON VOISIN, il est génial ! Depuis la fête foraine, je suis sans arrêt chez lui. D'ailleurs, je trouve que ça ne sent pas du tout le renfermé. D'accord, il n'ouvre pas souvent les volets, mais c'est parce qu'il travaille tout le temps. Son sous-sol, c'est une vraie caverne d'Ali Baba. Il y a des monstres fabuleux. Ils sont tellement bien faits qu'on dirait des vrais.

En ce moment, mon voisin, il est en train de faire la tête de Frankenstein. Il lui a fait un visage en plastique avec des tas de cicatrices. Il lui a mis des yeux noirs et une perruque. Maintenant, il le maquille pour le rendre encore plus affreux. Au fait, sa blouse de travail, elle est encore plus tachée de près que de loin. Il y a de la peinture rouge, bleue, verte...

Et ce n'est pas tout ! Mon voisin, il a un super appareil pour enregistrer des sons. Il fait des essais de cris pour les films d'horreur.

Je n'ai jamais osé lui avouer que je l'avais pris pour un assassin. Il me prendrait pour un dingue ! Ce qui est marrant, c'est qu'il m'a plusieurs fois demandé de sortir ses sacs-poubelles. Qu'est-ce qu'ils sont lourds ! Si vous saviez ce qu'il y a dedans... Des morceaux de plâtre !

En tout cas, ce qui est super, c'est que la semaine prochaine, Totor et moi, on commence notre stage. Mon voisin veut bien nous apprendre son métier. J'ai hâte de m'y mettre ! J'imagine déjà la tête de maman quand elle verra Dracula dans son placard...

MAUVAIS RÉGLAGE OU BIEN SABOTAGE ?

Sept heures du matin. Éric Raque, directeur de l'entreprise Machinox, convoque ses deux chauffeurs, Aurèle et Larbi, dans son bureau.

— Il faut absolument que le chargement soit chez Amotech avant 17 heures. Sinon nous perdons notre meilleur client. Ce serait grave !

Les deux hommes démarrent, avec Larbi au volant. Avant l'entrée sur l'autoroute, ils s'arrêtent à une station-service. Larbi lance la clé du réservoir au pompiste et court à la boutique pour payer. Aurèle somnole sur son siège.

Peu après, ils reprennent la route. Au bout de quelques kilomètres, le moteur se met à tousser, puis le camion s'arrête net.

— Alors là, ça me dépasse, s'emporte Larbi, le camion est passé au garage pour la révision générale la semaine dernière seulement.

Il appelle Éric Raque. Le directeur est au bord de la crise de nerfs.

— C'est du sabotage ! Ne bougez pas, je vous envoie un expert.

Arrivé sur les lieux, Maroni inspecte le réservoir du camion.

— Quelqu'un a versé du sucre dedans, probablement pendant que vous étiez à la station-service. Vous n'avez rien remarqué ?

— Moi non, dit Larbi, j'ai couru payer le gazoil. Et toi, Aurèle ?

Son collègue hésite un instant, puis il déclare :

— J'ai baissé ma vitre pour faire entrer un peu d'air frais. En effet, il me semble avoir vu le pompiste penché sur le réservoir.

— L'affaire est claire, conclut le commissaire sans autre commentaire.

---QUESTION---

Qui, d'après Maroni, a fait le coup ?

■ *Les Enquêtes du commissaire Maroni*, Jurg Obrist, traduction Sylvia Gelhert © Actes Sud, 2010.

Atlas est un héros des légendes grecques. Lorsqu'il se révolta contre Zeus, le père des dieux, celui-ci le condamna à porter le ciel sur ses épaules.

■ *L'Homme qui levait les pierres*, Jean-Claude Mourlevat, © Édition Thierry Magnier.

L'Homme qui levait les pierres

Jean Claude Mourlevat

Flavia Sorrentino

Chapitre 1

I<small>L Y AVAIT</small> dans le Sud un homme qui levait les pierres et, chaque dimanche, sur la place du village, il faisait admirer sa force prodigieuse.

— Est-ce que c'est l'homme le plus fort du monde ? demandaient les enfants.

Et les pères répondaient, mais sans rire, et avec ce vrai sérieux qu'ont les adultes quand ils parlent entre eux :

— Oui, mon garçon, je pense que notre Ruper Oaza est l'homme le plus fort du monde.

Les gens venaient de très loin pour le voir. Dès le matin, des familles entières s'installaient sur les gradins de bois, leur casse-croute à la main. Elles y passaient la journée à attendre. Pour les faire patienter, on leur chantait, en chœur et dans la langue du pays, la chanson de Ruper. Elle disait que Ruper était plus puissant que le sanglier et plus souple que le chevreuil, qu'il était capable de soulever une église et de la reposer plus loin.

On leur montrait ensuite les jeux de force : des garçons robustes sciaient des troncs d'arbres, hissaient des bottes de paille avec une corde ou faisaient la course en portant des sacs de blé sur leurs épaules. Les gens applaudissaient, mais par politesse seulement, car ce qu'ils voulaient voir, c'était Ruper Oaza, le leveur de pierres.

97

Chapitre 2

Il arrivait toujours en fin d'après-midi, dans une vieille voiture poussiéreuse et cabossée, conduite par l'aîné de ses trois fils. Les deux autres se tenaient assis sur les ridelles de la remorque attelée derrière. Tous les trois, qui avaient entre vingt et trente ans, unissaient leurs efforts pour mettre au sol la pierre de Ruper Oaza. Elle était parfaitement ronde et logée dans une marmite de fonte. Les trois frères renversaient la marmite en faisant : « Ho hisse ! » L'énorme pierre roulait, tombait de la remorque et s'enfonçait dans la terre avec un bruit sourd et profond.

« Hou-ou... » soufflaient les spectateurs et ils se disaient tous : *aucun homme ne peut soulever cette pierre.*

Ruper Oaza descendait alors de la voiture. Il était immense et velu. Il ressemblait à un gladiateur avec sa large ceinture de cuir enroulée quinze fois autour du ventre, ses épaulettes de métal, ses sandales et son crâne rasé. Il ne regardait personne.

Dans un silence incroyable (même les chiens se taisaient), il se campait derrière la boule de pierre, fermait les yeux quelques secondes, s'avançait vers elle, lui parlait, la caressait des deux mains, l'enlaçait de toute son envergure, la pressait contre lui, puis il se raidissait soudain et... il la soulevait.

Il la soulevait.

Il la maintenait un peu contre sa poitrine, la faisait passer sur son épaule droite et rouler sur sa nuque. Puis il s'avançait de trois pas, les bras largement écartés du corps et se tenait quelques secondes dans cette posture, face au public. À cet instant, on croyait voir, surgi de l'Antiquité, le géant Atlas portant la Terre.

Alors, il laissait retomber la pierre et restait un instant derrière elle, immobile, comme s'il attendait encore quelque chose. Les spectateurs se levaient lentement, sans applaudir, en signe de grand respect. Ruper les remerciait d'un hochement de tête presque triste et regagnait la voiture.

Ses fils, à trois, faisaient rouler la pierre dans la marmite renversée. Ils la hissaient, à trois, sur la remorque qui s'affaissait sous le poids. Leurs muscles saillaient, les veines de leur cou se gonflaient, car la pierre de Ruper Oaza pesait très lourd. Le double exactement de la pierre la plus lourde qu'on ait jamais soulevée dans ce pays où pourtant les hommes sont forts.

Chapitre 3

Peio avait douze ans et vivait seul avec sa mère. Ce garçon était maigre comme un poulet plumé. Chaque dimanche, assis à la première rangée des gradins, il écarquillait les yeux. Un soir, il demanda :

— Maman, pourquoi Ruper Oaza est-il triste chaque fois qu'il a soulevé sa pierre ?

— Il n'est pas triste, répondit sa mère. Il n'y a que toi qui crois ça. C'est un homme taciturne, voilà tout.

Un autre soir, il annonça :

— Maman, je vais aller voir Ruper Oaza et lui demander de m'apprendre à lever la pierre.

— Peio, dit la mère, tu dois savoir qu'Oaza n'enseigne son art à personne, pas même à ses propres fils. Il se moquera de toi si tu y vas.

Peio en parla à quelques amis qui s'étranglèrent de rire en l'imaginant tout menu à côté du colosse. Mais il y alla tout de même, un jour, après l'école. Il trouva Ruper Oaza en train de boire son café.

— Que veux-tu ? demanda le géant d'une voix étonnamment douce.

— Je veux que tu m'apprennes à lever la pierre.

Ruper ne se moqua pas de lui. Il le regarda en soufflant sur sa tasse brulante. Peio ne baissa pas les yeux.

— Montre-moi tes mains, dit Ruper.

Peio tendit ses doigts fragiles et délicats.

— Relève tes manches.

Peio retroussa ses manches sur ses deux bras maigres comme des bâtons.

— Montre-moi tes épaules.

Peio déboutonna sa chemise et découvrit ses deux petites épaules pointues.

— Comment t'appelles-tu ?

— Peio.

Le géant l'observa tranquillement, vida sa tasse, l'observa à nouveau, puis :

— Je te prends, Peio. Tu viendras demain à la même heure pour ta première leçon.

Le lendemain, Peio était là avec cinq minutes d'avance.

— C'est bien, dit Ruper Oaza, j'ai presque fini mon café. Bois donc un bol de lait en attendant.

Peio avala son bol en deux gorgées tant il avait hâte de commencer.

— Voilà, je suis prêt.

— Va laver ton bol, dit Ruper.

Un peu surpris, Peio courut laver son bol à l'évier. Il l'essuya même avec le torchon accroché au clou, et il le reposa avec les autres bols, dans le buffet.

— Et maintenant, tu me donnes ma première leçon ?

— C'était la première leçon, répondit Oaza. Rentre chez toi et reviens demain pour la deuxième.

Chapitre 4

LE LENDEMAIN, ils descendirent dans la cour où se trouvaient la voiture et la remorque. Peio chercha des yeux la pierre ronde qu'il aurait à soulever pour commencer son entrainement. Mais il n'en vit pas. Ruper Oaza prit un bâton d'un mètre de long, le lui glissa dans le dos, sous la chemise, et sous la ceinture du pantalon.

— Marche !

Peio avança d'un pas raide.

— Ta colonne vertébrale doit être aussi droite que le bâton, dit Ruper. Elle doit le suivre exactement. C'est le bâton qui a toujours raison. Marche !

Peio traversa la cour, encore et encore.

— Rentre ton menton ! disait Ruper, et grandis-toi.

Ou bien :

— Respire normalement, tu n'es pas sous l'eau !

Ou bien :

— Ne te cambre pas !

En rentrant chez lui, à la nuit tombante, il avait mal partout et il se jura de ne plus jamais remettre les pieds dans cette cour.

Mais il revint le lendemain. Et ce fut exactement comme la veille en pire.

— Quand sera la prochaine leçon ? demanda-t-il au moment de partir. Et il pensait : « Qu'elle soit demain, après-demain ou la semaine prochaine, de toute façon je ne viens plus ! »

— Elle sera quand tu le voudras, répondit Ruper Oaza.

Le jour suivant, il lui donna un tissu noir et alla se placer à l'autre bout de la cour.

— Tu me vois bien ? cria-t-il.

— Oui, je te vois.

— Mets le bandeau sur tes yeux.

Peio fit comme il disait et se retrouva dans l'obscurité.

— Viens me rejoindre maintenant.

La première fois, Peio se trompa de cinq mètres et buta contre la remorque.

— Recommence !

La deuxième fois, Peio se trompa de deux mètres et se heurta à la porte du garage.

— Recommence !

La troisième fois, il marcha très lentement et sentit sur sa peau le moment où il passa du soleil à l'ombre. Il traversa toute la cour et fut arrêté par la gigantesque main de Ruper contre sa poitrine.

— C'est bien. La leçon est finie. Rentre chez toi.

Chapitre 5

Les mois passèrent. Peio apprit à se tenir parfaitement immobile sur une jambe, à se laisser tomber en arrière dans les bras de Ruper qui le rattrapait à dix centimètres du sol, à porter un verre plein d'eau à ras bord sans en renverser une goutte, à marcher sur une corde raide, à respirer lentement ou à se taire pendant une journée entière.

Mais pas plus à sa mère qu'à ses camarades il n'osait dire la vérité : au bout d'un an d'apprentissage, il n'avait toujours pas touché la moindre pierre !

Un jour, il osa en parler à Ruper :

— Est-ce que... je vais soulever une pierre, bientôt ?

— Tu veux soulever une pierre ?

— Oui.

Ruper alla dans son hangar et rapporta dans sa main, comme si c'était une boule de pétanque, une pierre ronde de trente kilos environ. Elle avait la taille d'un ballon de football.

— Vas-y. Soulève-la.

Peio respira profondément.
Il se pencha sur la pierre, l'étreignit et la souleva sans peine.

— Elle n'est pas assez lourde, dit-il, dédaigneux, et il la jeta au sol.

— Recommence ! dit Ruper.

Il la souleva une deuxième fois.

— Recommence ! dit Ruper.

Peio dut la soulever plus de vingt fois. À la fin, les muscles de ses bras brulaient et ses jambes ne le tenaient plus.

— Encore une fois, dit Ruper.

— Je n'y arrive pas, gémit Peio, elle est trop lourde...

— Trop lourde ? s'étonna Ruper. C'est bizarre, tout à l'heure elle était trop légère... Rentre chez toi, la leçon est finie.

Quelques jours plus tard, Ruper dit à l'enfant :

— Peio, la prochaine leçon sera dans cinq ans exactement, jour pour jour, ici, à la même heure.

— Dans cinq ans ! s'étonna Peio. Et qu'est-ce que je dois faire d'ici là ?

— Mais ce que tu veux, Peio, ce que tu veux... Je te demande juste de ne pas grossir.

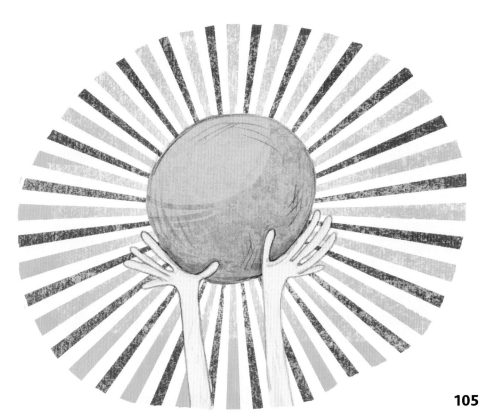

Chapitre 6

CINQ ANS PLUS TARD exactement, jour pour jour et à la même heure, Peio arrêta sa Mobylette dans la cour de Ruper Oaza. Il klaxonna trois fois et le géant apparut à la porte.

— Bonjour, je viens pour la leçon, dit Peio.

Ruper descendit l'escalier et vint à sa rencontre. Peio avait beaucoup grandi, mais il était toujours maigre comme une bicyclette. Sa pomme d'Adam pointait sur son cou. Sa poitrine était plate, ses jambes étaient frêles.

— C'est bien, dit Ruper. Et tu n'as pas pris de poids... C'est encore mieux... Dimanche prochain, tu soulèveras la pierre à ma place.

Peio faillit en tomber à la renverse :

— Quoi ? La pierre ? La grosse pierre ? Mais je ne me suis pas entrainé, je...

— La leçon est terminée pour aujourd'hui, l'interrompit Ruper. Tu peux t'en aller.

Peio rentra chez lui en maudissant cet homme qui ne disait jamais ce qu'on attendait. « Il se moque de moi ! pensa-t-il. Il ne m'a rien appris ! Et maintenant il veut me ridiculiser en public. Je n'irai pas ! »

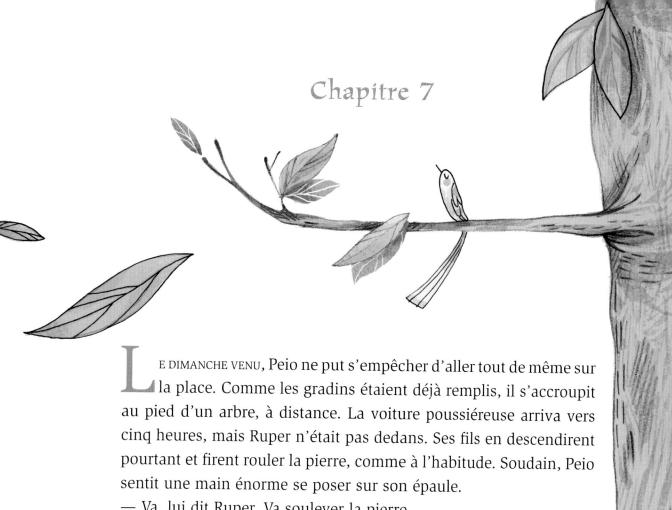

Chapitre 7

LE DIMANCHE VENU, Peio ne put s'empêcher d'aller tout de même sur la place. Comme les gradins étaient déjà remplis, il s'accroupit au pied d'un arbre, à distance. La voiture poussiéreuse arriva vers cinq heures, mais Ruper n'était pas dedans. Ses fils en descendirent pourtant et firent rouler la pierre, comme à l'habitude. Soudain, Peio sentit une main énorme se poser sur son épaule.

— Va, lui dit Ruper. Va soulever la pierre...

— Mais, bredouilla Peio, je n'ai jamais... je suis en habit du dimanche... je...

— Ne crains rien, dit Ruper.

Peio, sans comprendre pourquoi il le faisait, se leva et traversa la place. Il ôta sa veste et la tendit à un ami. Derrière la pierre de granit, il semblait plus fragile qu'un insecte. Mais personne ne songea à rire. Le silence se fit. On n'entendait plus que le bruissement léger du vent dans les arbres. Il ferma les yeux, comme il avait vu Ruper le faire des centaines de fois. Il s'avança vers la pierre. Il se pencha sur elle, la caressa des deux mains. Il se demanda un instant ce que Ruper pouvait bien lui dire avant de la soulever. À tout hasard, il chuchota : « Fais-toi légère, s'il te plait... » Il tâcha de tout se rappeler : le dos droit, l'équilibre, la respiration, la patience... Puis il s'arcbouta et produisit le plus gigantesque effort de sa vie.

Chapitre 8

L A PIERRE ne bougea pas d'un millimètre. Elle semblait vissée au sol pour l'éternité. Alors Peio se redressa et se tint immobile derrière elle, tête basse. Les spectateurs ne savaient que faire. C'est alors que le miracle arriva.

Peio ressentit d'abord le fourmillement dans ses pieds, puis le long de sa colonne vertébrale. Son corps se fit incroyablement léger et ses deux pieds décollèrent du sol en même temps.

— Je m'envole ! balbutia-t-il, et il écarta les deux bras pour garder son équilibre et ne pas basculer.

Il s'éleva avec la légèreté d'un ange jusqu'à la hauteur de la pierre et se posa dessus comme un oiseau sur une branche. Les spectateurs se levèrent. Ceux qui étaient couverts ôtèrent leur chapeau, leur béret, leur casquette.

Quand il revint à lui, Peio vit que Ruper lui tendait les bras pour l'aider à redescendre de la pierre. Il se laissa emporter par le géant.

Dans la voiture poussiéreuse, il eut le droit de s'asseoir à ses côtés.

— Tu sais, dit Ruper, depuis que je lève les pierres, j'ai toujours rêvé de m'envoler, après... Parce qu'on se sent si léger quand on les repose... Mais mon corps est trop lourd...

— C'est pour ça que vous êtes triste ?

— C'est pour ça que j'étais triste. Je ne le suis plus, maintenant.

Le dimanche suivant, Peio réussit à s'élever jusqu'à la hauteur d'un balcon voisin. Celui d'après, il se percha sur le toit de la mairie. Une semaine plus tard, il caressa de la main le coq du clocher.

Depuis ce temps-là, chaque dimanche, on se presse sur la place du village pour voir l'homme qui lève les pierres mais surtout pour admirer le garçon qui vole. Et si, par temps couvert, il vient à disparaitre au-delà des nuages, alors les gens du pays se lèvent et ils chantent à pleine voix, tous ensemble, en regardant le ciel, afin que Peio les entende... et qu'il leur revienne.

Quand le spectacle
sort dans la rue

Sauter, danser, marcher sur un fil... Dans le monde, de nombreux artistes montrent leurs talents hors des salles de spectacle. Les rues des villes, les places des villages deviennent alors leur scène.

En Corée, les funambules multiplient les acrobaties. Leur spectacle s'appelle le « jultagi ». L'acrobate exécute une quarantaine de figures différentes comme des sauts périlleux ou des culbutes. Puis, il fait le clown et chante avec les musiciens qui l'accompagnent.

Au Brésil, danse ou combat ?

Sans doute un peu des deux car la « capoeira » met des adversaires face à face. Genoux pliés, ils tournent et s'observent, lancent des mouvements de jambes sans se toucher, tandis que des musiciens tapent sur des tambours. Les origines de la capoeira remontent au XVIe siècle. Les Africains, amenés de force au Brésil pour être esclaves, exprimaient leur colère par des danses qui imitaient les combats de lutte traditionnelle.

En France, des marionnettes géantes

Un géant de deux tonnes, sculpté dans du bois a échoué un jour sur la plage du Havre. Il a ouvert les yeux, cligné des paupières et s'est mis lentement debout. 24 comédiens ont actionné ses fils et ses mécanismes pour l'aider à traverser la ville. Le soir venu, le géant s'est couché sur la place de la mairie. La nuit, de très loin, on entendait son cœur battre et on pouvait aussi l'entendre ronfler...

Cette incroyable marionnette est l'œuvre de la troupe nantaise Royal de Luxe.

Le sais-tu ?
Le monde vu de haut

Au Togo, les danseurs de « tchébé » se juchent sur des échasses de raphia tressé qui peuvent atteindre 3 à 5 mètres ! Heureusement, avant de monter aussi haut, ils s'entrainent au sol en musique. Ils exécutent des mouvements comme le «tchichikpa» où ils doivent se pencher pour toucher leur échasse avec la tête. Pour terminer la parade, l'un des danseurs ôte son échasse et effectue des pas à cloche pied ! Leur allure rappelle celle des oiseaux échassiers...

111

Le diable, détail d'un vitrail de la cathédrale Notre-Dame
à Chartres (Eure-et-Loir). Début du XIIIe siècle.

■ *Les trois Cheveux d'or du diable*, Jacob et Wilhelm Grimm, © Éditions Hatier.

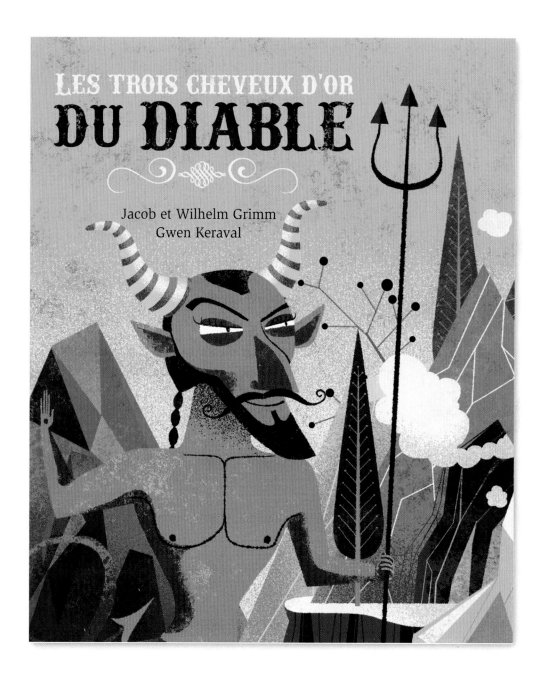

LES TROIS CHEVEUX D'OR
DU DIABLE

Jacob et Wilhelm Grimm
Gwen Keraval

ÉPISODE 1

IL ÉTAIT UNE FOIS une pauvre femme qui mit au monde un fils. Comme il était né coiffé, on lui prédit que dans sa quinzième année, il épouserait la fille du roi.

Peu de temps après, le roi passa par le village, sans que personne ne le reconnût. Comme il demandait ce qu'il y avait de nouveau, on lui répondit qu'un enfant coiffé venait de naitre : cet enfant réussirait tout ce qu'il entreprendrait et on lui avait aussi prédit qu'au, cours de sa quinzième année, il épouserait la fille du roi.

Le roi, qui avait un mauvais cœur, fut fâché par cette prédiction. Il alla trouver les parents du nouveau-né et leur dit d'un air tout amical :

— Vous êtes de pauvres gens, donnez-moi votre enfant, j'en prendrai soin.

Ils refusèrent d'abord. L'étranger leur offrit de l'or et les parents se dirent : « Puisque l'enfant est né coiffé, ce qui arrive est pour son bien. » Ils finirent par consentir et lui confièrent leur fils.

Le roi le mit dans une boite et chevaucha avec ce fardeau jusqu'au bord d'une rivière profonde où il le jeta, en pensant qu'il délivrait sa fille d'un prétendant. Mais la boite, loin de couler au fond, se mit à flotter comme un petit bateau. Elle alla ainsi à la dérive jusqu'à deux lieues de la capitale et s'arrêta contre l'écluse d'un moulin. Un apprenti meunier qui se trouvait là par bonheur l'aperçut et l'attira avec un croc. Il s'attendait à y trouver de grands trésors : mais c'était un joli petit garçon frais et éveillé. Il le porta au moulin. Le meunier et sa femme, qui n'avaient pas d'enfants, le reçurent comme un don du ciel. Ils traitèrent de leur mieux le petit orphelin qui grandit en forces et en bonnes qualités.

Un jour le roi, surpris par la pluie, entra dans le moulin pour se mettre à l'abri. Il demanda au meunier si ce grand jeune homme était son fils.

— Non, sire, répondit-il : c'est un enfant trouvé dans une boite. Elle a échoué contre notre écluse, il y a quatorze ans. Notre apprenti meunier l'a tirée de l'eau.

Le roi sut alors que c'était l'enfant né coiffé qu'il avait jeté à la rivière.

— Bonnes gens, dit-il, ce jeune homme ne pourrait-il pas porter une lettre de ma part à la reine ? Je lui donnerai deux pièces d'or pour sa peine.

— Comme Votre Majesté l'ordonnera, répondirent-ils.

Le meunier et sa femme dirent au jeune homme de se tenir prêt. Le roi écrivit à la reine une lettre où il lui demandait de se saisir du messager, de le mettre à mort et de l'enterrer avant son retour.

ÉPISODE 2

LE GARÇON se mit en route avec la lettre, mais s'égara et se retrouva perdu le soir dans une grande forêt. Au milieu des ténèbres, il aperçut au loin une faible lumière. Il se dirigea vers une maisonnette, où il trouva une vieille femme assise près du feu. Celle-ci parut toute surprise de voir le jeune homme et lui dit :

— D'où viens-tu et que veux-tu ?

— Je viens du moulin, répondit-il. Je porte une lettre à la reine. J'ai perdu mon chemin et je voudrais passer la nuit ici.

— Malheureux enfant, répliqua la femme, tu es tombé dans une maison de brigands. S'ils te trouvent ici, c'en est fait de toi.

— Vienne qui veut, je n'ai pas peur. D'ailleurs, je suis si fatigué qu'il m'est impossible d'aller plus loin.

Il se coucha sur un banc et s'endormit.

Les voleurs rentrèrent peu de temps après et demandèrent avec colère pourquoi cet étranger était là.

— Ah ! dit la vieille, c'est un pauvre enfant qui s'est égaré dans le bois. Je l'ai reçu par compassion. Il porte une lettre à la reine.

Les voleurs prirent la lettre et la lurent. Ils découvrirent qu'elle ordonnait de mettre à mort le messager. Les brigands au cœur dur eurent pitié du pauvre garçon. Leur capitaine déchira la lettre et en mit une autre à la place. On pouvait y lire qu'à l'arrivée du jeune homme, on lui ferait immédiatement épouser la fille du roi. Puis les voleurs le laissèrent dormir sur son banc jusqu'au matin. Quand il se réveilla, ils lui remirent la lettre et lui montrèrent le chemin.

La reine, ayant reçu la lettre, exécuta ce qu'elle contenait : on fit des noces splendides. La fille du roi épousa le garçon né coiffé. Comme il était beau et aimable, elle fut enchantée de vivre avec lui.

Peu après, le roi revint dans son palais et trouva que la prédiction s'était accomplie. L'enfant né coiffé avait épousé sa fille.

— Comment cela s'est-il fait ? dit-il ; j'avais donné dans ma lettre un ordre tout différent.

La reine lui montra la lettre. Il la lut et vit bien qu'on avait changé la sienne. Il demanda au jeune homme ce qu'était devenue la lettre qu'il lui avait confiée, et pourquoi il en avait remis une autre à la reine.

— Je n'en sais rien, répliqua celui-ci. Elle a sans doute été changée la nuit, quand j'ai couché dans la forêt.

— Cela ne se passera pas ainsi ! dit le roi en colère. Celui qui prétend à ma fille doit me rapporter de l'enfer trois cheveux d'or de la tête du diable. Rapporte-les moi, et ma fille t'appartiendra.

Le roi espérait bien qu'il ne reviendrait jamais d'une telle mission.

— Le diable ne me fait pas peur, lui répondit le jeune homme. J'irai chercher les trois cheveux d'or.

Il prit congé du roi.

ÉPISODE 3

Il se mit en route et quelques temps plus tard arriva devant une grande ville. À la porte, la sentinelle lui demanda qui il était et ce qu'il savait.

— Tout, répondit-il.

— Alors, dit la sentinelle, rends-nous le service de nous apprendre pourquoi la fontaine de notre marché, qui nous donnait toujours du vin, s'est desséchée et ne fournit même plus d'eau.

— Attendez, répondit-il, je vous le dirai à mon retour.

Plus loin il arriva devant la porte d'une autre ville. La sentinelle lui demanda qui il était et ce qu'il savait.

— Tout, répondit-il.

— Rends-nous alors le service de nous apprendre pourquoi le grand arbre de notre ville, qui nous rapportait des pommes d'or n'a même plus de feuilles.

— Attendez, répondit-il, je vous le dirai à mon retour.

Plus loin encore, il arriva devant une grande rivière qu'il s'agissait de passer. Le passeur lui demanda qui il était et ce qu'il savait.

— Tout, répondit-il.

— Alors, dit le passeur, rends-moi le service de m'apprendre si je dois toujours naviguer d'une rive à l'autre sans jamais être relayé.

— Attends, répondit-il, je te le dirai à mon retour.

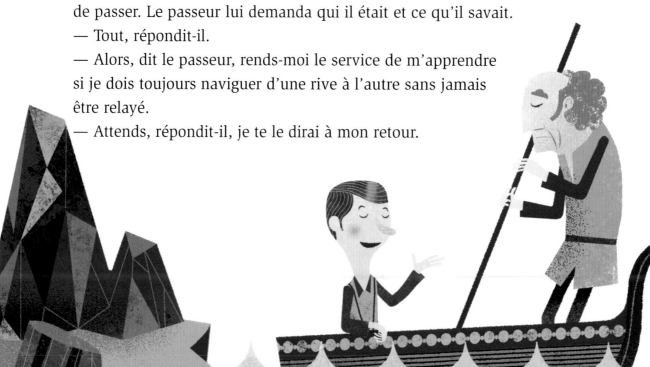

De l'autre côté de l'eau, il trouva la bouche de l'enfer. Elle était noire et enfumée. Le diable n'était pas chez lui. Il n'y avait que son hôtesse, assise dans un large fauteuil.

— Que demandes-tu ? lui dit-elle d'un ton assez doux.

— Il me faut trois cheveux d'or de la tête du diable, sans quoi je n'obtiendrai pas ma femme.

— C'est beaucoup demander, dit-elle, et si le diable t'aperçoit quand il rentrera, tu passeras un mauvais quart d'heure. Cependant tu m'intéresses, et je vais tâcher de te venir en aide.

Elle le changea en fourmi et lui dit :

— Monte dans les plis de ma robe. Tu seras en sûreté.

— Merci, répondit-il, voilà qui me va bien. J'aurais cependant besoin de savoir trois choses : pourquoi une fontaine qui versait toujours du vin ne fournit même plus d'eau, pourquoi un arbre qui portait des pommes d'or n'a même plus de feuilles et pourquoi un passeur, qui navigue toujours d'une rive à l'autre, n'est jamais relayé.

— Ce sont trois questions difficiles, dit-elle, mais tiens-toi bien tranquille, et sois attentif à ce que le diable dira quand je lui arracherai les trois cheveux d'or.

ÉPISODE 4

QUAND LE SOIR ARRIVA, le diable rentra chez lui. À peine était-il entré qu'il remarqua une odeur extraordinaire.

— Il y a du nouveau ici, dit-il : je sens la chair humaine.

Et il alla fureter dans tous les coins, mais sans rien trouver. L'hôtesse lui chercha querelle :

— Je viens de balayer et de ranger, dit-elle, et tu vas tout bouleverser ici, tu crois toujours sentir la chair humaine. Assieds-toi et mange ton souper.

Après avoir soupé, il était fatigué. Il posa la tête sur les genoux de son hôtesse. Il lui demanda de lui chercher un peu les poux, il ne tarda pas à s'endormir et à ronfler. La vieille saisit un cheveu d'or, l'arracha et le mit de côté.

— Hé ! s'écria le diable, qu'as-tu donc fait ?

— J'ai eu un mauvais rêve, dit l'hôtesse, et je t'ai pris par les cheveux.

— Qu'as-tu donc rêvé ? demanda le diable.

— J'ai rêvé que la fontaine d'un marché, qui versait toujours du vin, s'était arrêtée et qu'elle ne donnait plus même d'eau. Quelle peut en être la cause ?

— Ah, si on le savait ! répliqua le diable. Il y a un crapaud sous une pierre dans la fontaine. On n'aurait qu'à le tuer, le vin recommencerait à couler.

L'hôtesse se remit à lui chercher les poux. Il se rendormit et ronfla de telle façon que les vitres tremblaient. Alors elle lui arracha le second cheveu.

— Heu, que fais-tu ? s'écria le diable en colère.

— Ne t'inquiète pas, répondit-elle, c'est un rêve que j'ai fait.

— Qu'as-tu rêvé encore ? demanda-t-il.

— J'ai rêvé que dans un pays il y avait un arbre qui portait toujours des pommes d'or et qu'il n'avait même plus de feuilles. Quelle pourrait en être la cause ?

— Ah, si on le savait ! répliqua le diable : il y a une souris qui ronge les racines. On n'aurait qu'à la tuer, les pommes d'or reviendraient. Si elle continue à les ronger, l'arbre mourra tout à fait. Maintenant laisse-moi en repos avec tes rêves. Si tu me réveilles encore, je te donnerai un soufflet.

L'hôtesse l'apaisa et se remit à lui chercher ses poux jusqu'à ce qu'il fût rendormi. Alors elle saisit le troisième cheveu d'or et l'arracha. Le diable se leva en criant et voulut la battre. Elle le radoucit encore en disant :

— Qui peut se garder d'un mauvais rêve ?

— Qu'as-tu donc rêvé encore ? demanda-t-il avec curiosité.

— J'ai rêvé d'un passeur qui se plaignait de toujours traverser avec sa barque, sans que jamais personne ne le relayât.

— Hé, le sot ! répondit le diable. Il n'a qu'à donner sa perche au premier qui viendra pour passer. Il sera libre et l'autre sera obligé de faire le passeur à son tour.

❧ ÉPISODE 5 ☙

C OMME L'HÔTESSE lui avait arraché les trois cheveux d'or, et qu'elle avait tiré de lui les trois réponses, elle le laissa en repos. Il dormit jusqu'au matin.

Quand le diable eut quitté la maison, la vieille prit la fourmi dans les plis de sa robe et rendit au jeune homme sa figure humaine.

— Voilà les trois cheveux, lui dit-elle. As-tu bien entendu les réponses du diable à tes questions ?

— Très bien, répondit-il, et je m'en souviendrai.

— Te voilà donc hors d'embarras, dit-elle, et tu peux reprendre ta route.

Il remercia la vieille qui l'avait si bien aidé et sortit de l'enfer, fort joyeux d'avoir si heureusement réussi.

Quand il arriva devant le passeur, avant de lui donner la réponse promise, il se fit d'abord passer de l'autre côté et alors il lui fit part du conseil donné par le diable :

— Le premier qui viendra pour passer la rivière, tu n'as qu'à lui mettre ta perche dans les mains.

Plus loin, il retrouva la ville à l'arbre stérile. La sentinelle attendait aussi sa réponse :

— Tuez la souris qui ronge les racines, dit-il, et les pommes d'or reviendront. La sentinelle, pour le remercier, lui donna deux ânes chargés d'or.

Enfin il parvint à la ville dont la fontaine était à sec.

— Il y a un crapaud sous une pierre dans la fontaine, dit-il à la sentinelle, tuez-le, le vin recommencera à couler en abondance.

La sentinelle le remercia et lui donna encore deux ânes chargés d'or.

Enfin, l'enfant né coiffé revint près de sa femme. Elle se réjouit dans son cœur en apprenant que tout s'était bien passé. Le jeune homme remit au roi les trois cheveux d'or du diable. En apercevant les quatre ânes chargés d'or, le roi fut grandement satisfait.

— Maintenant toutes les conditions sont remplies. Ma fille est à toi. Mais, mon cher gendre, dis-moi d'où te vient tant d'or, car c'est un trésor énorme que tu rapportes.

— Je l'ai pris, dit-il, de l'autre côté d'une rivière que j'ai traversée. C'est le sable du rivage.

— Pourrais-je m'en procurer autant ? lui demanda le roi.

— Tant que vous voudrez, répondit-il. Vous trouverez un passeur, adressez-vous à lui pour passer l'eau et atteindre le rivage, vous pourrez y remplir vos sacs.

L'avide monarque se mit aussitôt en route. Arrivé au bord de l'eau, il fit signe au passeur de lui amener sa barque. Le passeur le fit monter. Quand ils eurent atteint l'autre rive, il lui mit la perche dans les mains et sauta de la barque.

Ainsi, le roi devint passeur.

— *L'est-il encore ?*
— *Eh ! Sans doute,*
puisque personne ne
lui a repris la perche.

« Attention, Mesdames et Messieurs le spectacle va commencer.
Nous vous demandons de faire le silence et d'éteindre vos téléphones portables ! »

Fanny Joly vit à Paris avec son mari, ses enfants, son vélo... et son stylo.
Avec ce stylo, elle écrit pour la publicité, le cinéma, la télévision, le théâtre et pour les enfants...
passionnément. Fanny a publié plus de 200 livres, pour tous les âges, et reçu de nombreux prix.
Ses livres sont traduits dans une trentaine de langues.
www.fannyjoly.com

AU THÉÂTRE DE DEMAIN

DU 8 AU 18 MARS

Super gnognotte

Une pièce de Fanny Joly - Décors de Caroline Jaegy

Supergnognotte

Les personnages

JIMMY, LE PRÉSENTATEUR,

JIMMY porte une veste à paillettes ou à carreaux, très voyante, et un gros nœud papillon. Il est debout, il marche, il ne s'assoit jamais. Il tient dans une main des fiches où il lit questions et réponses (en butant sur les mots). Dans l'autre main, Jimmy a un micro doté d'un très long fil dans lequel il a tendance à s'emmêler les pieds. À part ça, Jimmy sourit tout le temps, surtout face à la caméra.

BERNARD, LE CANDIDAT

BERNARD est très fier de passer à la télé. Il n'est pas très concentré. Il fait des signes à la caméra, se regarde souvent dans un petit miroir de poche…

SIMONE, LA CANDIDATE

SIMONE est sur son trente et un, elle aussi, mais contrairement à Bernard elle a l'air plutôt intimidée, bafouille, hésite, glousse nerveusement et semble par moments prête à pleurer.

Autres personnages
Si vous mettez en place un véritable plateau de télévision : des techniciens, caméramans, preneurs de son, etc.
S'il y a un public : des figurants assis sur les bancs, un figurant qui lèvera les pancartes.

Le décor

Nous sommes sur le plateau de Supergnognotte, célèbre jeu qui triomphe chaque jour à la télévision. Sur un grand panneau on lit : Supergnognotte. Face au public, deux tables derrière lesquelles seront assis les deux candidats.

Chacun a devant lui une sonnette de bicyclette ou une boite à musique qu'il fera couiner chaque fois qu'il pensera avoir trouvé la réponse.

Si vous souhaitez : le décor peut comporter une caméra (vraie ou fausse, sur pied ou à l'épaule), des projecteurs, une perche de prise de son, etc.

Le décor peut aussi comporter des bancs. Dans ce cas, on fabriquera des pancartes indiquant « APPLAUDISSEZ », « RIEZ », « TAISEZ-VOUS ». Quelqu'un montrera les pancartes au public et le public obéira. C'est un public spécial « plateau de télévision », qui fait ce qu'on lui dit de faire.

Quand le sketch commence une certaine excitation règne sur le plateau.

JIMMY, *Le présentateur, vérifie sa tenue, son profil.*

BERNARD *demande sans arrêt : « Est-ce que ça filme ? ».*

SIMONE *se ronge les ongles en marmonnant : « J'ai peur, maman j'ai peur ! »*

Soudain, une musique pétaradante (le générique) retentit.

JIMMY *(Il bondit devant la caméra.)*

Eh bien, chers amis téléspecta-teurs, chers amis téléspecta-joueurs, bonjour et bienvenue sur le plateau de Supergnognotte !

(Applaudissements.)

Pour un nouveau numéro de Supergnognotte !

(Applaudissements.)

Avec toute l'équipe de Supergnognotte !

(Applaudissements.)

Et aujourd'hui, deux nouveaux candidats s'affrontent dans Supergnognotte !

(Applaudissements.)

Bernard qui nous vient de…

(Pendant que Jimmy cherche dans ses fiches Bernard adresse des signes de triomphe à la caméra.)

Solygnurfe-les-Eaux…

BERNARD

Euh non, Solygnot-les-Urfes !

JIMMY *(Il rit et se tourne vers Simone.)*

Oui, bon, c'est pareil ! Et Simone, la belle Simone qui nous vient, elle, de… *(Il cherche dans ses fiches.)*

Excusez-moi, j'ai quelques petits problèmes avec mes fiches…

Je ne retrouve pas, ce n'est pas grave, enchainons !

SIMONE *(Elle lève le doigt, comme à l'école, affolée.)*

Ça ne va pas m'enlever des points si vous le dites pas ?

JIMMY

Si je ne dis pas quoi, Simone ?

SIMONE

Ben que je viens de Grigne-sous-Noiraud !

JIMMY

Elle vient de le dire ! Elle vient de Grigne-sous-Noiraud ! On l'applaudit bien fort !

(Applaudissements.)

Et l'on passe tout de suite à la première question.

(Il lit une fiche.)

«Je suis très intelligent.» : pouvez-vous mettre cette phrase au passé simple ? Attention, vous avez 5 secondes…

BERNARD

Euh…

SIMONE

Passé simple, passé simple… Ça me dit quelque chose… J'ai dû voir ça quand j'allais à l'école, mais alors là… Passé simple… C'n'est pas si simple, dites donc !

BERNARD *(Peu concerné par la question, il fait des signes à la caméra.)*

Est-ce que je peux faire coucou à Marcel, pis à Claudette, pis à Madame Grelu, je lui ai promis, pis aussi…

JIMMY *(Il essaie de le stopper.)*

Non, euh… attendez Bernard…

BERNARD

… à Dédé et Thérèse, et leur petit chien Caramel, et aussi mon voisin Albert avec sa sœur Bernadette et …

(À cet instant, une sonnerie retentit.)

JIMMY

Et voilà ! Le temps règlementaire est écoulé, Simone, Bernard ! Et vous n'avez pas répondu à la première question ! Alors enchainons tout de suite avec la deuxième question : «Quelle est la devise de la République française ?»

BERNARD (*Il sonne fièrement.*)

Le franc !

SIMONE (*Elle sonne à son tour.*)

Non ! L'euro !

JIMMY

Mes amis, mes amis : la devise de la République française, voyons ! Tout le monde sait ça, c'est... c'est... Liberté... Égalité... Fra...

(*Il cherche dans ses fiches car visiblement il ne sait pas.*)

BERNARD (*Il sonne triomphalement.*)

...pez avant d'entrer ! Frappez avant d'entrer !

JIMMY (*Il vérifie dans ses fiches.*)

Dommage, Bernard ! C'est presque ça, mais pas tout à fait ! Liberté, égalité, fraternité ! Hé oui ! Et tout de suite la troisième question : «J'ai 35 ans et 12 ans de plus que Katy. Quel âge a Katy ?»

BERNARD (*L'air ahuri, il semble ne pas comprendre.*)

Qui c'est ça Katy ?

SIMONE

C'est vrai ça ! On ne la connait pas, votre Katy, comment on pourrait savoir son âge ?

JIMMY *(Soudain inquiet, il vérifie ses fiches.)*

Attendez ! Je relis la question : «J'ai 35 ans et 12 ans de plus que Katy. Quel âge a Katy ?» C'est une question particulièrement difficile. J'avoue que moi-même j'ai du mal à comprendre de quoi il s'agit... «J'ai 35 ans et 12 ans de plus que Katy. Quel âge a Katy ?» Il y a peut-être une erreur... Cela arrive parfois, chers télespecta-teurs, chers téléspecta-joueurs, surtout, restez avec nous ! Je vous propose de passer directement à la dernière question : «Comment appelle-t-on l'eau que l'on peut boire ?»

SIMONE

Euh...

BERNARD *(Il sonne comme un fou.)*

Évian !

SIMONE *(Du tac au tac,*
elle espère doubler Bernard.)

Vittel !

JIMMY *(Il vérifie.)*

Hé non, pas de chance !
L'eau que l'on peut boire
s'appelle l'eau potable !

SIMONE *(Elle est effondrée.)*

Potable ? Où ça se vend, ça ?
Je ne connais pas cette marque-là !

JIMMY *(Il rit.)*

Hélas ! Chère Simone !
Cher Bernard ! Hé oui !
L'ordinateur me le confirme :
vous êtes tous les deux
ex aequo à zéro.
Vous ne gagnez donc pas
la magnifique machine
à couper les pommes de
terre en forme de ressorts

offerte par la maison Tournedore, notre cher sponsor.

(Il s'emballe.)

Tournedore, je le rappelle, c'est le matériel de cuisine qui tourne,
qui dore, et qu'on adore !

(Applaudissements)

Qui gagnera la magnifique machine à couper les pommes de terre
en forme de ressorts offerte par la maison Tournedore, le matériel
de cuisine qui tourne, qui dore, et qu'on adore ?
Pour le savoir rendez-vous demain sur le plateau de Supergnognotte !

(Applaudissements.)

Pour un nouveau numéro de Supergnognotte !

(Applaudissements.)

Avec toute l'équipe de Supergnognotte !

(Applaudissements.)

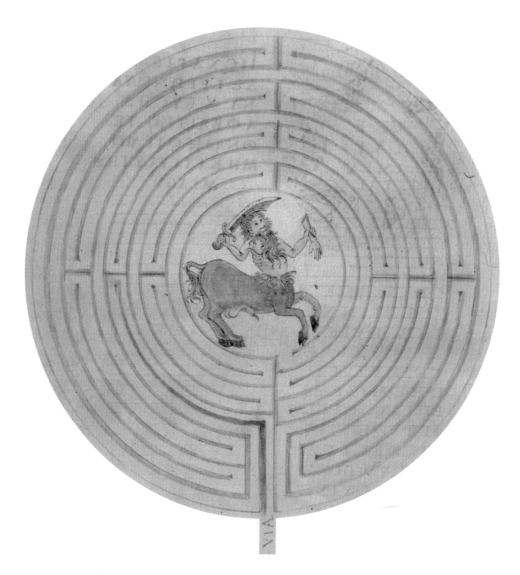

Représentation du minotaure au centre du labyrinthe.
Ce manuscrit du XVIIIᵉ siècle est conservé à la bibliothèque
de Modène en Italie.

■ *Le Minotaure*, Nathaniel Hawthorne, © 1996, Éditions Pocket Jeunesse, département d'Univers Poche, pour la traduction française de Pierre Leyris. © 2014, Éditions Hatier pour la présente édition.

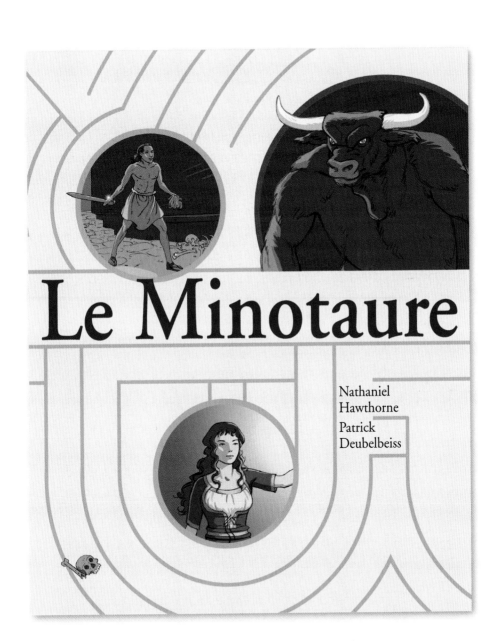

Le Minotaure

Nathaniel
Hawthorne

Patrick
Deubelbeiss

Épisode 1

Il était une fois un petit garçon qui s'appelait Thésée. Thésée, donc, vivait au pied d'une haute montagne de Grèce dans une ville toute blanche du nom de Trézène. Et comme il était le petit-fils du vieux roi qui régnait sur le pays, il habitait au palais avec sa mère Ethra. Quant à son père, il ne l'avait jamais vu.

Ethra emmenait souvent Thésée se promener dans un bois voisin. Lorsqu'ils arrivaient devant un certain rocher profondément enfoncé dans la terre et couvert de mousse, elle le faisait asseoir à côté d'elle et lui parlait de son père.

— C'est un grand roi, lui disait-elle.

— Pourquoi ne vient-il jamais nous voir ? demanda un jour l'enfant.

— Il demeure loin, mon fils, son trône est à Athènes.

— Mais il a surement de bons chevaux. Ne pourrait-il faire une fois le voyage ?

— Il est retenu par les affaires de l'État. Les rois ne peuvent s'absenter comme cela, même pour voir leur fils.

— Et si j'allais le voir, moi ?

— Sans doute, mais plus tard. Pour le moment, tu n'es ni assez grand ni assez fort.

— Et quand donc serai-je assez grand et assez fort ? demanda le jeune prince.

— Quand tu pourras soulever cette pierre, répondit la mère en souriant. Je veux dire, la pierre sur laquelle tu es assis.

L'enfant se leva, regarda la pierre et se jeta sur elle. Enfonçant ses petites mains dans la mousse pour trouver une bonne prise, il tira, se raidit dans l'effort. En vain ; la pierre demeura complètement immobile : on eût dit qu'elle avait des racines dans le sol.

— Tu vois, Thésée, lui dit Ethra. Il faudra bien des années encore avant que tu puisses faire le voyage d'Athènes.

L'enfant, déçu, ne répondit rien. Il rentra tout songeur au palais.

Épisode 2

À DATER DE CE JOUR il ne pensa plus qu'à la pierre. Combien de fois ne s'en alla-t-il pas dans le bois, épuisant ses forces sur elle ! Mais, à mesure qu'il grandissait, la pierre semblait s'enfoncer de plus en plus solidement dans la terre. Elle était couverte d'une mousse si épaisse qu'on avait peine à trouver le granit. Et toutes sortes de plantes sauvages, pareilles à des chevelures, en cachaient les parois.

Un jour cependant, Thésée – c'était presque un jeune homme à présent – s'écria :

— Mère, Mère, je crois que la pierre a remué !

— Ce n'est pas possible, dit Ethra. Tu te trompes.

Car les mères ont parfois peine à croire que leurs fils grandissent et elles continuent à les prendre pour de petits garçons.

— Si, si, Mère, je vous assure, insista Thésée. Regardez !

Et il montrait du doigt un endroit où la pierre, en bougeant, avait déraciné une fleur.

— C'est vrai, dit Ethra avec un soupir.

Et elle regarda longuement son fils. Comme il était beau et vigoureux ! Hélas, elle le verrait bientôt s'éloigner et courir, comme un homme, parmi les dangers du monde.

Pendant un an Thésée ne toucha plus à la pierre : il avait décidé de laisser ses forces grandir avant de renouveler sa tentative. Mais, quand l'année se fut écoulée, il emmena sa mère dans le bois, étreignit la pierre en sa présence, la déchaussa de son lit et, dans un effort immense, la renversa sur le flanc !

Comme il reprenait haleine, le front mouillé de sueur, il vit une larme rouler sur la joue d'Ethra.

— Oui, mon fils, dit-elle en souriant à travers ses pleurs. Tu n'es plus un enfant. Le temps est venu de me quitter et d'aller trouver ton père. Vois ce qu'il a déposé ici pour toi.

Thésée vit alors que la pierre, en basculant, avait découvert un rocher plat, creusé d'un trou. Et dans ce trou reposaient un glaive à poignée d'or et une paire de sandales.

— Voici le glaive de ton père, dit Ethra, et voilà ses sandales. Il m'a ordonné de te les remettre quand tu serais en âge d'ébranler la pierre. Tu peux maintenant combattre les géants et les dragons comme il a fait dans sa jeunesse.

— Je partirai aujourd'hui pour Athènes ! s'écria Thésée.

Sa mère obtint pourtant qu'il restât trois jours encore, afin de faire les préparatifs nécessaires. Le vieux roi son grand-père approuva son voyage, mais lui conseilla de partir par bateau, les routes étant infestées de brigands et de monstres.

— Des brigands et des monstres ! s'écria Thésée dont les yeux brillèrent. Pourquoi les fuirais-je ? N'ai-je pas l'épée de mon père ?

Et, après de tendres adieux, il s'élança sur la route. S'il avait versé quelques larmes en s'arrachant des bras de sa mère, le vent et le soleil les eurent bientôt séchées. Les sandales lui allaient à merveille et il marchait d'un pas ferme, en jouant avec la poignée d'or de son glaive.

Épisode 3

Si je vous racontais par le menu tous les exploits que Thésée accomplit avant d'atteindre Athènes, mon histoire serait trop longue, et nous n'en viendrions jamais au fameux combat qu'il livra au Minotaure. Je vous dirai donc en deux mots qu'il expédia dans l'autre monde tous les scélérats qu'il rencontra sur son chemin. […]

Tant et si bien qu'on acclamait le jeune héros partout où il passait, et, ma foi, cela lui faisait grand plaisir.

« Il me semble, se disait-il, que je suis digne à présent de me présenter devant mon père. »

Il ne se doutait guère de l'étrange accueil qui l'attendait à Athènes.

Le roi Égée, quoiqu'il ne fût pas très avancé en âge, était vieilli par la maladie et les soucis. Il se laissait entièrement gouverner par une cruelle magicienne du nom de Médée, qui avait plus d'un tour dans son sac. Or Médée prévoyait la mort prochaine du roi et voulait à toute force faire monter son fils Médus sur le trône. Son inquiétude était donc grande […] quand elle apprit que le prince Thésée approchait de la ville.

— Va à sa rencontre, dit-elle à Médus, embrasse-le avec effusion et propose-lui de le présenter au roi comme un étranger afin de voir s'il saura le reconnaitre comme son fils. Pendant ce temps-là, j'agirai de mon côté.

Tandis que Médus se hâtait sur la route par laquelle devait arriver Thésée, Médée se retira dans ses appartements et prépara, avec soixante-dix-sept herbes et toutes sortes d'ingrédients dont elle avait le secret, un terrible poison.

Puis elle en versa quelques gouttes dans une coupe. Une mouche, s'étant posée sur le rebord, tomba morte instantanément. Médée sourit et se rendit chez le roi.

— Sire, lui dit-elle, vous savez que je vois ce qui se passe au loin. Un inconnu vient de débarquer à Athènes dans le dessein de vous tuer pour s'emparer de votre couronne. Il s'approche du palais et sera dans un instant au pied de votre trône.

— Ah ! Ah ! dit le vieux roi. Quel coquin ! Et que me conseillez-vous de faire de lui ?

— Que Votre Majesté se contente de lui offrir à boire.

— De lui offrir à boire ! Que voulez-vous dire?

— Votre Majesté sait que je m'entends à fabriquer certains breuvages. Qu'elle me permette seulement de verser une goutte de ce liquide dans la coupe de vin qu'elle offrira à l'étranger.

Et elle montra au roi une petite fiole.

— Ma foi, dit-il, le scélérat ne mérite pas mieux.

Et il donna des ordres pour qu'on fît entrer Thésée dès qu'il se présenterait.

Épisode 4

L E HÉROS parut bientôt avec Médus. Lorsqu'il vit son vieux père, si majestueux et si vénérable avec sa longue barbe blanche et sa couronne étincelante, mais également si digne de pitié tant il paraissait faible et proche de la tombe, Thésée sentit les larmes lui monter aux yeux.

Il avait préparé quelques phrases, mais l'émotion lui coupa la parole.

Médée sut en tirer avantage :

— Votre Majesté voit-elle l'embarras du traitre ? souffla-t-elle à l'oreille du roi. Il a la conscience tellement troublée qu'il ne peut prononcer une parole. Vite ! Offrez-lui la coupe.

Cependant, Égée considérait avec attention le jeune inconnu. Il ne pouvait s'empêcher d'admirer son front pur et noble, sa bouche gracieuse et expressive, ses yeux tendres et beaux. Mais surtout il lui semblait que ce visage lui rappelait un autre visage et il cherchait, cherchait au fond de sa mémoire.

Médus, voyant son hésitation, chuchota :

— Sire, ne tardez pas ! Votre vie est en danger. Ce jeune homme a mille fois mérité la mort.

« Je rêvais, se dit le roi en se redressant sur son trône avec sévérité. Oui, il faut faire justice. »

Et, s'adressant à Thésée :

— Jeune homme, sois le bienvenu ! Accepte cette coupe remplie d'un vin délicieux. Tu as bien mérité de le boire.

Comme Thésée s'avançait pour recevoir la coupe, le roi tressaillit violemment : il avait aperçu au côté du jeune homme le glaive à poignée d'or.

— Ce glaive, s'écria-t-il, de qui le tiens-tu ?

— C'est le glaive de mon père, répondit Thésée d'une voix tremblante. Voici un mois, je l'ai trouvé sous le rocher.

— Mon fils ! Mon fils ! cria Égée, qui jeta la coupe à terre et descendit en chancelant les marches du trône pour se précipiter dans les bras de Thésée. Oui, voilà bien les yeux d'Ethra ! Oui, tu es bien mon fils !

Il n'avait pas achevé cette phrase que Médée et Médus avaient disparu. Craignant la juste colère du roi, Médée s'enferma dans sa chambre et se livra à des enchantements. Bientôt elle entendit siffler à la fenêtre. C'étaient quatre immenses serpents ailés attelés à un char de feu. La magicienne y prit place avec son fils après s'être emparée des bijoux de la couronne et, fouettant les serpents, s'éleva dans les airs.

Les sifflements des quatre monstres étaient si perçants que le roi regarda à la fenêtre. Quand il aperçut Médée à travers les flammes de son char, il lui cria qu'elle faisait bien de s'enfuir et qu'elle ferait mieux encore de ne jamais remettre les pieds dans ses États. La sorcière, furieuse, brandit le bras dans un geste de malédiction, mais, ce faisant, elle laissa tomber par mégarde cinq cents diamants, mille grosses perles et un nombre incalculable de rubis et de saphirs qu'elle avait dérobés dans le coffre royal.

Les passants se précipitèrent pour ramasser ces trésors et les rapporter au palais, mais le roi fit annoncer qu'il donnait tous ces bijoux à ceux qui les avaient trouvés pour fêter l'arrivée de son fils et la fuite de l'horrible Médée.

Le roi ne voulait plus se séparer de Thésée. Il le faisait asseoir à côté de lui sur son trône, qui était en effet assez large pour deux, et lui demandait inlassablement de lui parler de son enfance, de sa mère et des exploits qu'il avait accomplis en venant de Trézène. Fort touché de ces marques d'affection, le jeune prince racontait tout cela à son vieux père avec beaucoup de patience, et sans omettre un détail. Mais, à dire la vérité, il commençait à s'ennuyer un peu, car il n'était pas homme à rester assis tout le jour, fût-ce sur un trône. Et il regardait parfois son glaive avec regret.

Épisode 5

Un jour, en se réveillant, il lui sembla entendre des cris de détresse. Il se leva, courut à la fenêtre. Oui, une longue rumeur plaintive montait de la ville. On eût dit que tout le monde était en deuil et que de mille poitrines s'échappaient des gémissements.

S'habillant à la hâte, sans oublier ses sandales et son glaive d'or, Thésée courut interroger le roi.

— Hélas ! mon fils, répondit Égée en poussant un profond soupir, c'est aujourd'hui le retour d'un triste anniversaire. Chaque année, à pareille date, nous devons tirer au sort les noms des jeunes garçons et des jeunes filles d'Athènes destinés à être dévorés par le Minotaure.

— Le Minotaure ? s'écria Thésée. Quel est donc ce monstre ?

— C'est une créature effroyable, moitié homme moitié taureau, qui habite l'île de Crète. Tu sais que nous avons été vaincus par les Crétois. Ils nous ont dicté des conditions de paix très dures et nous avons dû nous engager à envoyer chaque année sept jeunes garçons et sept jeunes filles pour servir de pâture au Minotaure.

— Quel roi cruel a pu vous imposer cela ?

— Le roi Minos. Au lieu de combattre le monstre, il l'entretient, il en est fier. Et il se réjouit de le voir dévorer de jeunes Athéniens. J'ai essayé de fléchir ce cœur barbare. En vain. Et chaque année, je dois me résigner à l'horrible tirage au sort. Aujourd'hui il n'est pas dans la ville de parents qui ne tremblent et ne s'attendent au pire.

Thésée se tut pendant quelques instants. Puis, se redressant :
— Que la ville d'Athènes choisisse seulement six garçons cette année, dit-il d'une voix ferme. Je serai le septième.

— Mon fils ! Que dis-tu ?

— Je vaincrai le monstre ou je mourrai.

— Oh ! Thésée, pourquoi t'exposer à cet horrible destin ? L'héritier du trône est au-dessus des lois communes.

— C'est parce que je suis prince, et votre fils, que je veux prendre part au malheur de vos sujets.

— Ah ! mon fils, mon fils ! À peine t'ai-je trouvé que je dois déjà te perdre ?

— Consolez-vous, mon père. Le Minotaure ne m'a pas encore dévoré. Je me battrai à outrance et vous connaissez le tranchant de ce glaive qui fut jadis le vôtre.

Le roi dut s'incliner devant tant de fermeté et de hardiesse. Il s'appuya sans mot dire au bras de son fils et l'accompagna jusqu'au vaisseau qui attendait les victimes dans le port. En même temps qu'eux arrivaient, suivis d'un cortège en larmes, les six jeunes hommes et les jeunes filles que le sort avait désignés.

— Mon enfant bienaimé, dit le roi à son fils au moment où celui-ci montait à bord, tu vois ces voiles noires qui conviennent à un voyage de désolation. Si, par un heureux hasard, tu échappes au Minotaure, change ces agrès de deuil en agrès de joie : hisse aux mâts des voiles d'une blancheur éclatante. Aussi longtemps qu'il me restera un souffle de vie, je monterai chaque jour au sommet de la falaise afin de savoir si tu reviens victorieux.

Sa voix se brisa dans un sanglot. Thésée promit de lui obéir et donna le signal du départ.

Épisode 6

LE NAVIRE s'éloigna du rivage et, à peine en pleine mer, fut emmené rapidement sur les eaux par une brise légère, comme pour une partie de plaisir.

La gaieté, assurément, ne régnait pas à bord. Les jeunes filles mêlaient leurs larmes, les jeunes hommes étaient en proie à une tristesse farouche. Nul ne parlait. Thésée considéra quelque temps ses compagnons, puis, s'adossant au mât, il leur dit :

— Mes chers amis, ne vous laissez pas abattre. Nous allons vers un danger redoutable, il est vrai, mais non pas à une mort certaine. N'augmentez pas les chances de votre adversaire en vous abandonnant au désespoir. C'est être à moitié vaincu que d'envisager la défaite. Pour moi, je ne songe qu'à la victoire et au retour !

Jeunes filles, chantez, nouez des danses, ranimez le courage avec la gaieté dans le cœur de tous.

Jeunes hommes, répondez par des chants héroïques. Ou bien luttez, faites la course sur le pont, rivalisez d'agilité dans les agrès. Entretenez vos forces enfin, pour vaincre quand le moment sera venu.

Il leur parla si bien et avec une bonne humeur si confiante que ses compagnons eurent honte de s'enfermer dans la mélancolie. Et pendant tout le reste de la traversée, ce ne furent plus que jeux, chants, épreuves de force, danses et même francs éclats de rire.

Je crois bien que quelques-uns des passagers avaient pour ainsi dire oublié le but du voyage lorsqu'on vit monter à l'horizon les sommets bleuâtres de la Crète. Pour le coup, chacun reprit sa gravité et fouilla anxieusement du regard l'île fatale. [...]

Dès que les Athéniens eurent abordé, ils furent entourés par les gardes de Minos qui les amenèrent au palais.

Ils comparurent devant le roi, dont les yeux cruels, roulant sous ses sourcils épais et hérissés, leur apprirent qu'il ne fallait attendre aucune pitié de cette brute couronnée. Ils pâlirent et une sueur froide courut sur leur visage, tandis qu'ils défilaient devant Minos qui les touchait du bout de son sceptre pour s'assurer de leur embonpoint.

Seul Thésée gardait une attitude pleine de fierté et de calme. Sa tranquillité irrita le roi.

— Ne trembles-tu pas, lui cria-t-il, à l'idée d'être dévoré par le Minotaure ?

Le héros sourit :

— Pourquoi serais-je troublé, répondit-il, alors que je donne ma vie pour une bonne cause ? C'est toi, roi Minos, qui devrais avoir peur de ta propre cruauté. N'as-tu pas honte de livrer quatorze innocents à une bête féroce ? Je te le dis en face, tu as beau être assis sur un trône d'or, tu me parais un monstre plus hideux que le Minotaure lui-même.

Il y eut un silence de mort. Puis Minos, pourpre de rage, éclata enfin d'un rire forcé, un rire d'hyène :

— Ha ! Ha ! c'est ainsi que tu me considères. Eh bien ! demain, à l'heure du déjeuner, tu verras si ta comparaison est juste. Gardes ! Emmenez-moi tout ce gibier. Quant à cet insolent, c'est lui qui ouvrira l'appétit du Minotaure.

Épisode 7

ÈS QUE LES MALHEUREUX eurent quitté la salle, une jeune fille d'une grande beauté se jeta aux pieds du roi.

— Ah ! mon père, s'écria-t-elle, faites grâce pour cette fois ! Quelques moutons rassasieront le Minotaure aussi bien que ces pauvres Athéniens. Épargnez ces innocents. Épargnez même ce jeune homme si fier. Il n'a pas été très poli, je l'avoue, mais il est noble, et les circonstances où il se trouve l'excusent.

Celle qui suppliait ainsi d'une voix que la pitié faisait trembler était la propre fille du roi, la princesse Ariane. Mais combien différente de son père, et par le charme et par la bonté !

— Silence, folle que tu es ! lui répondit brusquement Minos. Depuis quand te mêles-tu de politique ? Va arroser tes fleurs et ne songe plus à ces misérables Athéniens. C'est comme s'ils étaient déjà mangés.

Et il ne voulut pas entendre un mot de plus.

Cependant les victimes avaient été jetées pêlemêle dans un noir cachot.

— Dépêchez-vous de dormir, leur dit un garde en refermant sur eux la lourde grille de fer, car le Minotaure à l'habitude de déjeuner de bon matin.

Épuisés par la douleur et les sanglots, ils tombèrent bientôt endormis. Seul Thésée veillait, arpentant la cellule. C'était lui, le plus fort et le plus brave, qui devait guetter et réfléchir pour tous les autres.

Un peu avant minuit, il vit l'éclat d'une torche. La grille grinça, et s'ouvrit, livrant passage à Ariane.

— Prince Thésée, êtes-vous éveillé ? demanda-t-elle.

— Oui, certes, répondit-il. Je ne veux pas perdre en sommeil le peu de temps qu'il me reste à vivre.

— Suivez-moi, dit-elle, et marchez doucement.

Elle leva sa torche pour lui montrer le chemin et Thésée la suivit dans les couloirs de la prison.

« Comment la princesse a-t-elle fait pour éloigner les gardes ? » se demanda-t-il.

Quoi qu'il en fût, elle ouvrit une à une toutes les portes, et le jeune homme se trouva bientôt à l'air libre sous un clair de lune resplendissant.

Quelle joie de humer l'air à pleine poitrine !

— Vous êtes libre, lui dit Ariane. Vous pouvez regagner votre vaisseau et faire voile vers Athènes.

— Me croyez-vous assez lâche pour cela ? s'écria le héros. Je ne quitterai la Crète qu'après avoir abattu le Minotaure et délivré mes compagnons.

— Je prévoyais votre réponse, dit la princesse. Venez alors avec moi, valeureux Thésée. Voici votre glaive : vous en aurez besoin.

Elle le mena par la main à travers un bois si touffu que les rayons de la lune n'en perçaient pas l'épaisseur. Après avoir marché quelque temps dans une obscurité totale, Thésée aperçut une lueur. Ils se trouvaient au pied d'un grand mur de marbre couvert de plantes grimpantes.

Ce mur était lisse et sans ouvertures. Impossible de le franchir ou de pénétrer au travers, semblait-il. Mais quand Ariane eut pressé du doigt un certain bloc de marbre, celui-ci tourna sur lui-même, et leur livra passage.

— C'est l'entrée du labyrinthe, dit Ariane.

Thésée n'ignorait pas cette étrange invention, due au cerveau compliqué de Dédale, l'habile ingénieur qui jadis avait fabriqué des ailes pour voler comme un oiseau[1]. Le labyrinthe était un fouillis de chemins et de passages, séparés les uns des autres par de petits murs, et qui faisaient tant de coudes et de détours qu'au bout de quelques pas on ne pouvait plus s'orienter. Voulait-on revenir en arrière, on se trompait au premier carrefour et l'on errait dans le labyrinthe jusqu'à ce que l'on tombât d'épuisement.

1. En fait, l'architecte Dédale a confectionné des ailes qu'il a fixées avec de la cire sur son dos et sur celui de son fils pour s'enfuir du labyrinthe où Minos, furieux, les avait enfermés.

Épisode 8

COMME LE HÉROS hésitait au seuil de ce terrible piège, il entendit un bruit sourd assez semblable au mugissement d'un taureau, mais pas très différent cependant de la voix humaine. C'était comme si un monstre à demi-animal et à demi-homme avait essayé d'articuler des paroles. Le bruit était trop lointain toutefois pour que Thésée pût en avoir le cœur net.

— C'est le cri du Minotaure, lui dit tout bas Ariane. Hélas ! il ne dort pas. Laissez-vous guider par sa voix dans les détours du labyrinthe, et bon courage ! Mais attendez ! Prenez un bout de ce peloton de soie. Je garderai l'autre dans ma main. Si vous êtes vainqueur du monstre, vous n'aurez qu'à suivre le fil pour revenir près de moi. Adieu, Thésée !

Le fil de soie dans la main gauche, le glaive à pommeau d'or dans la main droite, Thésée s'avança d'un pas résolu dans les mystérieux détours.

Au bout de cinq pas, il perdit Ariane de vue. Au bout de dix pas, il ne sut plus dans quelle direction était l'entrée du labyrinthe. Au bout de vingt pas, il se sentit tout étourdi à force de tourner. Mais il continua à avancer, tantôt rampant sous une voute basse, tantôt montant ou descendant des marches, tantôt franchissant une porte ouverte qui se refermait aussitôt derrière lui. Parfois les murs onduleux semblaient se dérouler à ses yeux comme le fil échappé d'un fuseau. Et sans cesse il entendait, parfois lointains, parfois tout proches, les mugissements discordants du Minotaure.

Tout à coup ce fut la nuit absolue. Thésée ne pouvait plus progresser qu'en frôlant du bras la muraille sinueuse, ses deux mains étant occupées l'une par son glaive, l'autre par le fil. À cet instant il eut besoin de tout son courage, car il se sentait sans défense dans le noir si son ennemi venait à l'attaquer. Heureusement, la tendre Ariane imprimait de temps en temps de petites secousses au fil de soie comme pour lui dire qu'elle l'accompagnait par la pensée, et cela lui réchauffait le cœur.

Il déboucha enfin dans un espace ouvert situé au centre même du labyrinthe, et se trouva en présence du Minotaure.

Épisode 9

Quel hideux spectacle ! Sa tête armée de cornes, son poitrail, ses pattes de devant étaient d'un taureau, mais le reste du corps, quoique complètement couvert de poils, était d'un homme. Immense, taillé pour le combat, le monstre, qui se tenait debout sur ses jambes de derrière, tournait en tous sens dans sa solitude en poussant des rugissements de rage. Peut-être était-il tenaillé par la faim.

Dès qu'il aperçut Thésée, il abaissa ses cornes aigües et fonça sur lui avec un hurlement formidable et, cette fois, presque humain. Le héros ne subit qu'une partie du choc, car il avait sauté de côté, mais peu s'en fallut qu'il ne fût culbuté. Il comprit aussitôt qu'il devait compter sur son agilité plutôt que sur sa force. […]

Thésée, à bout de souffle, perdait de sa prestesse. Et voici qu'atteint au bras gauche, il roule à terre ! Mais, à peine meurtri, il garde toute sa présence d'esprit, et comme le monstre, croyant déjà triompher, ouvre son énorme mâchoire pour le déchirer, il se relève d'un bond et lui fait sauter la tête !

Aussitôt la lune, qui s'était voilée de nuages, se mit à resplendir comme pour illuminer le triomphe du héros. La mort du Minotaure, c'était comme si tous les maux et tous les crimes avaient disparu de la Terre.

Tandis que Thésée, appuyé sur son glaive, reprenait haleine, il sentit remuer dans sa main le fil de soie qu'il n'avait pas lâché pendant tout le combat. Impatient d'apprendre sa victoire à Ariane, il suivit le fil conducteur et se retrouva bientôt à l'entrée du labyrinthe.

— Tu as vaincu le monstre ! s'écria la princesse en joignant les mains.

— Grâce à toi, chère Ariane, répondit modestement Thésée.

— Hâtons-nous, dit-elle. Il faut fuir avant le lever du soleil, sans quoi mon père voudra venger le Minotaure.

Ils eurent bientôt gagné la prison, délivré les captifs (qui se demandaient s'ils ne rêvaient pas), gagné le port, sauté à bord du navire et... en route pour Athènes ! [...]

Vous pouvez imaginer avec quelle joie les quatorze jeunes gens furent accueillis à Athènes. Mais un fâcheux évènement jeta un voile de tristesse sur les réjouissances. Vous vous souvenez que le roi Égée avait demandé à son fils de hisser des voiles blanches s'il revenait sain et sauf.

Eh bien ! Thésée oublia complètement cette recommandation et revint avec les mêmes voiles noires. Si bien que le pauvre vieux père, qui montait chaque jour péniblement au haut de la falaise, voyant les voiles de deuil, crut que son fils unique avait été dévoré par le Minotaure.

De douleur il perdit connaissance et tomba dans la mer avec sa couronne et son sceptre.

Thésée fut consterné d'avoir hâté la mort de son père par son fatal oubli. Jamais il ne se pardonna cette faute. Mais il n'eut pas le temps de tomber dans la mélancolie, car il se trouvait, bon gré, mal gré, roi de tout le pays, c'est-à-dire extraordinairement occupé. Il envoya chercher sa mère, qui vint vivre auprès de lui, et dès lors il gouverna sagement en suivant ses conseils.

157

DE BIEN ÉTRANGES CRÉATURES...

De nombreux récits peuplés de monstres, de héros
et de dieux nous viennent de la Grèce antique.
Ils racontent les mystères qui nous entourent, parlent
de la création du monde et de l'histoire des hommes.
On appelle ces récits « la mythologie ».

LE CHARME DES SIRÈNES

La légende de la guerre de Troie raconte la bataille entre les Grecs et
les habitants de Troie, ville d'Asie Mineure (l'actuelle Turquie).
Les Grecs sortirent vainqueurs de cette guerre. Leur chef, Ulysse, de retour
vers son royaume, traversa des eaux peuplées de sirènes. Ces créatures au
buste de femme et au corps d'oiseau, enchantaient les marins par des airs
mélodieux. Ceux qui les écoutaient étaient irrésistiblement attirés
vers des rochers où leur bateau se fracassait.
Ulysse, prévenu par la magicienne Circé, fit boucher les oreilles
de ses hommes avec de la cire et demanda qu'on l'attachât au mât de son
bateau. C'est ainsi qu'il échappa aux sirènes et poursuivit son voyage.

La colère de Typhon

Typhon, un être terrifiant aux jambes de serpents voulait devenir le maitre de la Terre et du Ciel. Mais Zeus, le père des dieux, le défia. Après un long et terrible combat, Zeus finit par gagner et jeta Typhon dans le Tartare, le profond puits des enfers. Le monstre y vivrait encore et ses mouvements de colère provoqueraient les ouragans qui agitent parfois la Terre.

D'autres monstres

Les Centaures, mi-hommes mi-chevaux incarnent la cruauté et la sauvagerie. Dotés de longues et robuste pattes, ils pouvaient courir à vive allure et étaient de redoutables guerriers.

Le sais-tu ? On trouve de nombreuses créatures rappelant celles de la mythologie dans des films, des jeux vidéos, des jeux de cartes, de société ou en figurines.

Un Minotaure, personnage d'un jeu vidéo.

Tu peux retrouver les histoires de ton livre de lectures

TABLE DES CRÉDITS PHOTOGRAPHIQUES

8		ph © FineArtImages / Leemage
21	©	Anatole Latuile, « *Ultra top secret* », d'Anne Didier et Olivier Muller, illustré par Clément Devaux / © 2011, Bayard Editions
30		ph © P. Lee Harvey / Cultura Travel / Getty-Images
50	h	ph © Library of Congress / UIG / The Bridgeman Art Library
50	b	ph © Tuul / Robert Harding World Imagery / Corbis
51	h	ph © Walter Bibikow / JAI / Corbis
51	b	ph © Archives Charmet / The Bridgeman Art Library
53	©	*Charivari chez les P'tites Poules* de Christian Jolibois et Christian Heinrich, éditions Pocket Jeunesse, département d'Univers Poche, 2005.
74	hg	ph © Fotolia
74	hd	ph © Scisetti Alfio / Fotolia
74	mg	ph © Eric Audras / PhotoAlto / Photononstop
74	mm	ph © Elena Elisseeva / Fotolia
74	md	ph © Eric Isselée / lifeonwhite.com / Fotolia
74	bg	ph © Godong / Leemage
74	bd	ph © Fotolia
75	h	ph © Deligne / Iconovox
75	b	ph © Camille Moirenc / Hemis.fr
76		ph © Brian Sytnyk / Masterfile
92	©	*Les Enquêtes du commissaire Maroni*, Jurg Obrist, traduction Sylvia Gelhert / © Actes Sud, 2010
94		ph © Luisa Ricciarini / Leemage
94		ph © Fotolia
110	hg	ph © Multi-bits / Getty-Images
110	bg	ph © Tibor Bognar / Photononstop

111	hd	ph © Alain Le Bot / Gamma - Rapho
111	bd	ph © P. Gonzalez Castillo / LatinConten / Getty-Images
112		ph © Jean-Paul Dumontier / La Collection
124		ph © Tomas Rodriguez / Corbis
134		ph © Costa / Leemage
158		ph © The Bridgeman Art Collection
159		ph © Dreamstime
160	1	© *Contes d'Asie*, Éditions Rue des Écoles
160	2	© *Les histoires de Rosalie*, Éditions Flammarion
160	3	© Anatole Latuile, « *Ultra top secret* », d'Anne Didier et Olivier Muller, illustré par Clément Devaux / © 2011, Bayard Editions
160	4	© *Je suis amoureux d'un tigre*, Paul Thiès / © Éditions Syros
160	5	© *Charivari chez les P'tites Poules* de Christian Jolibois et Christian Heinrich, éditions Pocket Jeunesse, département d'Univers Poche, 2005.
160	6	© *L'assassin habite à côté*, Florence Dutruc-Rosset, Illustration de Benjamin Adam, Coll. Mini Syros, © Éditions Syros, 2014.
160	7	© *Les Enquêtes du commissaire Maroni*, Jurg Obrist, traduction Sylvia Gelhert / © Actes Sud, 2010
160	8	© *L'homme qui levait les pierres*, de Jean-Claude Mourlevat / © Éditions Thierry Magnier, 2004.
160	9	© *Second livre des Merveilles* de Nathaniel Hawthorne, Pierre Leyris, éditions Pocket Jeunesse, département d'Univers Poche, 1996.

Maquette et Mise en page : Sylvie Lavaud • Iconographie : Hatier Illustration, Claire Venries
Édition : Sylvie Grange • Photogravure : RVB Editions

Achevé d'imprimer en Italie par G. Canale - Dépôt légal : 97284-3/01 - février 2014